晨羽 著
小河少年Kawa 繪
載著流星的人
下
LOVER METEOR
LOVER METEOR

Chapter 6

「任紀唯，要不要一起走？」

沒有練習田徑的這天，背著書包的何詩詩主動約紀唯。

運動會結束後，何詩詩偶爾會找紀唯閒談，但邀她一起回家還是頭一遭，因此紀唯相當意外，不過她沒有拒絕。

當兩人往校門口走時，沈佑嘉忽然跑來，「任紀唯，晚上叫披薩吃好不好？」

「秀梅姨沒煮嗎？」

「老爸剛才聯絡我，秀梅姨臨時有事，叫我們自己去買吃的。」

「嗯，那你叫吧。」

「妳想吃什麼口味？」

「都可以。」

「好，那我自己決定囉！」他說完就跑走，跟他班上的男同學們走在一起，宛如一陣旋風，來匆匆去匆匆。

何詩詩噗哧一聲，「妳這個哥哥眞的很活潑。」

「這算普通了，他還有更活潑的時候。」

「妳知道嗎，我曾以爲妳跟沈佑嘉在一起。」

「因爲先前的謠言？」

「不是，早在傳出謠言前，我就已經看過你們私下接觸，所以聽到你們的流言，我沒有太驚訝。」

「妳說『早在傳出謠言前』……那是什麼時候？」

「有點久了。我看到妳跟沈佑嘉坐在一間超商裡，當時已經很晚了，應該是十點多左右。」

紀唯隨她的話憶起，有一次，因爲一個十分尷尬的理由，她跟沈佑嘉暫時無法待在家，只好先到附近的超商待著。

「妳怎麼會看到？」紀唯不禁訝異，那甚至在她跟關旭彥交往之前。

「那天我和我家人出去，回家的時候在車上看見你們兩個。那陣子學校在傳妳跟關旭彥很曖昧，所以看到妳跟沈佑嘉深夜單獨在一起，我有懷疑你們的關係。」

她聳聳肩，「但現在想起來，若那時你們就已經同居，會在一起很正常。」

紀唯不解地問：「妳看到我們在一起，爲什麼沒有說出去？」

「喂，妳到底把我想成什麼人了？我看起來有那麼無聊嗎？我才沒興趣到處散播八卦！」

「可是妳之前不是一直把我視爲眼中釘嗎？」

「我承認我對妳的態度可能不是很友善，但我一直把妳當成『重要的對手』，自然就會多注意妳，畢竟知己知彼，百戰百勝嘛！久而久之，妳是個怎樣的人，我多少也了解，所以我不太相信妳會腳踏兩條船。妳考試作弊的事，我也是抱持懷疑的態度。」

何詩詩哈哈笑，「而且誰會那麼白痴，在考試時明目張膽地把小抄拿出來看，連個遮掩都沒有。」

「所以妳不覺得我有作弊？」

「這就要問妳囉！與其猜想，跟本人確認最快。」何詩詩看她，「妳眞的有作弊嗎？」

她搖頭。

「那怎麼會發生那種事？」

心想如今告訴何詩詩也無妨，紀唯便將事情原委一五一十地說給她聽，也跟她說了幫楊心瑷找游佳菱收錢，卻被游佳菱懷恨在心、私下報復，遭到了全班排擠的事情。

何詩詩聽完，淡淡地下了結論，「好可憐的人。」

「妳說誰？」

「當然是游佳菱。我若是妳，看到她因為這個理由，對我做出那些骯髒事，我會很同情她。這個人實在可悲到極點，連恨都懶得恨了。」

紀唯瞪大眼，何詩詩居然跟她有相同的想法。

「看到妳轉班，游佳菱八成會覺得自己贏了吧？其實她才是真正的輸家。我敢篤定她不會得意太久，她對別人做過的事，遲早會回到她自己身上，我們只要等著看就好了。」

何詩詩唇角一勾，「就算游佳菱讓關旭彥離開妳，妳還有沈佑嘉啊！那小子其實長得不錯，尤其換了新髮型，看起來不比關旭彥差！」

紀唯忍俊不禁，「妳對他評價這麼高喔？莫非妳喜歡沈佑嘉那一型？」

「不，我喜歡的類型是熟男，就像妳繼父那樣，穩重又有氣質！」

「哇，年齡也差太多了吧？我繼父都快五十歲了耶！」紀唯傻眼。

「我是指氣質啦！像他那樣成熟穩重又長得好看的男人，比較吸引我。」

「是喔……我繼父還有一個兒子，大我們十歲，個性也很沉熟穩重，而且長得跟他很像喔。」

「真的假的？有照片嗎？拿出來給我看！」何詩詩眼睛發亮，像個小女生興奮尖叫。

「我不要。」紀唯笑嘻嘻拒絕。

「任紀唯妳很小氣，給我看一下又不會死！」

她們一邊笑鬧，一邊在樹蔭小道追逐拉扯，直到離開學校才停止。

★

週六午後，方佑霆和龍哥一回到修車廠，就看見所有人都聚在桌子前。

紀唯和周一銘正在比賽腕力，沒多久，後者的右手「咚」的一聲，被扳倒在桌上！

「哇靠，周公，你有沒有搞錯，居然輸給小妹？你該不會是故意放水的吧？太丟人了！」大熊不敢置信。

「我沒放水啦，小妹的力氣眞的很大！」周一銘反駁。

大師搖搖頭，「你一開始太輕敵，讓小妹有機可趁，最後才救不回來。」

注意到方佑霆跟龍哥回來了，周一銘立刻離開座位，向他們招手，「阿霆，你也來跟小妹比一比吧！」

「我？」

紀唯朝他喚：「大哥，跟我比腕力吧！」

方佑霆答應後，兄妹倆準備就緒，紀唯說：「大哥，你不可以放水喔！」

「好。」他點頭。

比賽開始，兩人同時使勁。

方佑霆很快就占了優勢，只要再出一點力，就能扳倒她。相較於女孩的驚訝跟焦急，他顯得從容不迫。

儘管勝負已見分曉，但紀唯不肯服輸、遲遲不放棄的努力模樣，讓方佑霆不自覺唇角上揚，發出一聲輕笑。

紀唯的右手擦過桌面，她緊閉雙眼硬撐，嘴裡輕吐一句：「好痛⋯⋯」

方佑霆一驚，力道立即鬆下。下一秒，他被反將一軍，右手重重地被扳倒在桌面上。

「耶，我贏了！」紀唯高舉雙手歡呼。

方佑霆傻眼，好氣又好笑，「妳叫我別放水，怎麼反而使詐呢？」

「我是說過你不能放水，可是沒說你可以笑我啊。」紀唯微嘟著嘴，「我剛剛那麼拚命，結果你一直露出取笑我的表情，我更不想讓你贏了！」

「阿霆，這就是你的不對了，怎麼可以笑小妹？」大師教訓。

「沒錯，士可殺，不可辱，你太不尊重小妹了！」大熊幫腔，其他人也全站在紀唯這邊，偏心得徹底。

方佑霆哭笑不得，「對不起，是我的錯，我反省。」

他離開座位，紀唯很快地跟上，並帶著一杯飲料遞給他，「大哥，給你，這次有波霸囉！」

「妳又破費了。」

「沒關係啦，我只有週六帶飲料來。而且，這也是爲了之前給大哥添的麻煩賠罪。」她笑嘻嘻道。

方佑霆的目光停在她臉上，正要開口，手機鈴聲就從口袋裡傳出。

看到來電顯示，他微微一頓，轉身走到門邊接聽，「喂？」停頓幾秒，他下意識壓低聲音，「妳回來了？」

紀唯聽見了，好奇地朝他的背影望去。

「沒關係，妳家裡的事比較重要。」他的聲音不帶起伏，「好，到時再一起去，妳忙完後再跟我說。」

大熊及周一銘走到紀唯身旁，同樣盯著方佑霆，悄然道：「有問題。」

「什麼？」她問。

「我是說妳大哥。妳不覺得他現在講電話的語氣跟態度都不太對勁？我猜是女人打給他的，而且是關係匪淺的女人。」周一銘煞有介事地猜測。

「我也覺得應該是女人。不過，我跟他共事的這幾年，從沒看過他身邊出現哪個女人，實在太奇怪了。」大熊嘖嘖道。

「怎麼會沒有？不是曾經有個女人過來找阿霆？」

大師在他們身後拋出這一句，讓兩人驚訝地追問：「真的嗎？什麼時候？」

「半年前，有個女人來這裡找他，阿霆說對方是他的高中同學，人在國外念書。若我沒記錯，好像是在芝加哥。」大師一邊說，一邊拿起工具修車。

大熊大叫出聲：「啊！我有印象了，是不是長頭髮的？雖然我不記得長相，但印象中是個正妹！」

「我怎麼沒印象？莫非那天我不在？」周一銘納悶，「所以阿霆是在跟那位高中同學說話？」

「可能吧，不過對方應該不僅僅是同學那麼簡單。」大師說。

「什麼意思？他們在曖昧？」大熊瞠目。

「那個女人好像是阿霆的初戀。」

兩人當場「哇」了一聲，大熊滿臉好奇，「大師，你怎麼會這麼清楚？所以，那個女人是阿霆的第一任女友？」

「我猜是阿霆單戀對方，他說過他們不是那種關係。」

聽到「單戀」，他們叫得更大聲。

方佑霆一結束通話，大熊和周一銘立刻像隻章魚黏著他追問八卦，不肯輕易放人。

看著被同事纏住的方佑霆，紀唯心中詫異，沒想到會聽見這些事——大哥的高中同學，他的初戀……

這時，之前在方佑霆家發現的那張照片，冷不防地出現在紀唯的腦海。

莫非大哥的單戀對象，就是照片裡的那個女生？

紀唯靜靜看著被那二人纏得受不了的方佑霆，不禁掉進思緒之中……

★

每週跑去修車廠，已經變成紀唯的習慣，也是她最快樂的時光。

正式進入冬季的某個週六是龍哥的生日，紀唯到修車廠和大家一同爲他慶生，氣氛熱鬧無比。

接近下班時間，大熊提議，「大家等一下要不要去夜遊？」

「贊成，今天天氣不錯，乾脆去看星星怎麼樣？」周一銘提供意見。

「不錯耶，那要去哪看？」

「當然是到高的地方看。我們騎車到山上去兜風？怎麼樣，龍哥？」

「好啊。」龍哥一口答應。

「那就這麼決定了，小妹也跟我們一起去吧！」大熊邀請紀唯。

她內心興奮，正要答應，方佑霆卻出聲拒絕，「紀唯不用去，等我們下山就太晚了，她媽媽會擔心。」

「大哥，我跟我媽說一聲就好，我也想要去。」她說。

「還是不行。」方佑霆語氣堅決，「我等一下會先送她回家，這次夜遊，紀唯就不必跟了。」

「大哥！」紀唯訝異。

「阿霆，別這樣啦，小妹都說想去了，你就讓她跟吧，而且我們都在，不會有什麼危險！」周一銘幫忙說話。

「就是啊，讓小妹一塊去吧。」大熊附和。

方佑霆的臉色漸漸沉下。

「總之，紀唯不能去。」他仍不打算妥協，「我還是要先送她回家，抱歉。」

「大哥，可是我想去山上，也想看星星！」紀唯焦急。

「妳想看的話，不一定要去山上，其他地方也可以，以後我再帶妳去。」

「可是，大哥以前不是也常騎車去山上看星星嗎？我也想去那裡看一看——」

「不行就是不行。」他打斷，一把拉起紀唯的手，對身旁的人說：「大師，時間差不多了，我送紀唯回家。」

然而紀唯站在原地不肯動。

方佑霆命令道：「紀唯，出來。」

「不要！」紀唯不滿，「你怎麼這樣？都不管人家的意見！」

「我是爲妳好。」

「只是上山看星星，大哥你們也都在，爲什麼我不能去？」

方佑霆面無表情，「妳無論如何都要去？」

即使聽出對方的語氣變了，紀唯還是倔強地抿唇不語。

方佑霆放開她的手，「那妳以後不用來了。」

紀唯愕然，不敢相信自己的耳朵。

「既然妳不願聽我的話，以後也不必再來修車廠。」

沒想到他會說出這種話，紀唯震驚萬分地大喊：「大哥，爲什麼——」

「妳不肯聽，以後就不用來找我！」方佑霆鐵青著臉大吼：「今後妳也不必再叫我大哥，就當我們從不認識！」

紀唯眼圈發紅，一臉受傷，當場拎起包包，頭也不回地衝出修車廠。

「喂，阿霆，你幹麼罵小妹？」周一銘嚇壞了。

「對啊，用不著發這麼大的火吧？」大熊也慌了手腳。

方佑霆胸口起伏，闔眼深吸一口氣，啞聲說：「對不起，龍哥，搞砸了你的生日。」

「沒關係，我知道你是爲小妹好，但你確實說得太重了。」龍哥拍拍他的肩膀，「你的臉色很難看，沒事吧？」

「我沒事。」他向眾人道歉，「抱歉，我今天沒辦法去夜遊了，你們不用管我，玩得開心點。」

語落，他拿起手機跟鑰匙走出修車廠。

看著方佑霆的背影，三人面面相覷，而大師目送他騎車離去的身影，重重地嘆了一口氣。

傷心欲絕的紀唯，回家後就把自己關進房間，趴在床上不動。

「今後妳也不必再叫我大哥，就當我們從不認識！」

這句話如利刃刺穿紀唯的心。

她淚眼模糊，難以相信那是方佑霆說的話。她從未見過他生這麼大的氣。無論怎麼想，她都想不透，她只是想跟對方一起去山上，看看是否有機會發現兩人一起討論過的流星，以及那片絕美的繽紛星空。

她只是想親眼見到大哥曾經看過的景色啊……

想起他發怒的樣子，紀唯就不曉得該如何是好，即使明白對方是為她著想，她還是大受打擊，為他說出的那些絕情話語而傷透心。

大哥是真的打算跟她斷絕關係了嗎……

一週後，某個午後，大師跟大熊兩人提著袋子，從便利商店走回修車廠。

經過親子公園時，大師停下腳步，「大熊，我有樣東西忘了買，你先回去吧。」

「喔，好。」大熊不疑有他，直接走掉。

大師望著坐在圓形廣場前的人，走了過去。

看見來人，坐著發呆的紀唯不禁愣住。

「怎麼坐在這裡？不到修車廠來？」

「我……」

「阿霆那小子，該不會到現在都還沒跟妳道歉，也沒跟妳聯絡吧？」

紀唯苦澀地點點頭。

大師在她身旁坐下，從袋子裡拿出一罐飲料，「妳大哥今天有事，沒來上班，妳可以直接過來沒關係。」

她看著手中的飲料，輕輕搖首。

大師打開一罐咖啡，慢悠悠地喝一口，「小妹，妳覺得妳大哥爲什麼會那麼生氣，堅持不肯讓妳上山？」

「因爲……他覺得危險，也怕我回家的時間太晚，而我又不肯聽他的話，還頂嘴，所以……」她呑呑吐吐。

「可是，妳認識他也有一段時間了，應該多少知道他的個性，就算他眞的爲這個理由生氣，有可能會氣到整整一週都不跟妳說話嗎？那小子算是我們當中脾氣最溫和的，連我們都沒見過他那樣。這樣一想，妳會不會覺得奇怪？」

聽出他話中有話，紀唯抬起困惑的眼睛。

「那小子不跟妳聯絡，應該是因爲對妳感到愧疚，畢竟他當著大家的面凶妳，還對妳說出重話。」他語帶安慰，「但妳放心，我相信妳大哥並不是眞心生妳的氣，只是在害怕。」

「害怕？」

「嗯，怕妳會發生跟他好友一樣的事。」

她愣住，「這是什麼意思？」

「妳大哥在妳這年紀的時候，有一個跟他感情很好的男生朋友。那個男生某天在深夜跑去山上，回程途中發生車禍，不幸過世。」

對上女孩驚訝的雙眼，大師娓娓道來，「這是我跟妳大哥剛認識不到一個月時，幾個員工喝酒玩眞心話大冒險，他模模糊糊被我逼供出來的。妳大哥當時還很嫩，不滿二十歲。這件事目前也只有我知道，其他人都不曉得。」

紀唯想起沈佑嘉說過，他父母離婚前，大哥有一個同學因爲意外去世了。

猜到大師說的就是這件事，她恍然大悟，「這才是大哥不願讓我跟去的眞正原因？」

「我認爲是這樣。看他發脾氣的樣子，就知道好友的死給他帶來很深的陰影，可能到現在都沒走出來，也還在爲這件事自責不已。」

「自責？」

「那個男生不是獨自一人上山，而是有人載他去。」他淡淡說：「載他的人，就是妳大哥。」

★

刺骨冷風襲來，太陽彷彿成了裝飾品，感受不到一絲暖意，只看見燦爛的明亮。

走進墓園，方佑霆在其中一座墓碑前看見一道人影。

他走過去喚：「邵媛。」

蹲在墓碑前的女人聞身轉頭，站起身。

「好久不見。」宋邵媛莞爾，「抱歉，結果我自己先過來了。」

「沒關係。」他望著她肩上的髮，「頭髮剪短了？」

「是啊，感覺不一樣吧？想當年，我爲敬華留了這麼久的長髮，現在就是要讓他知道，我短髮的樣子也很不錯。」她撥撥髮尾，「你覺得怎麼樣？」

他莞爾，「很適合妳。」

兩人站在墓碑前，宋邵媛感慨地說：「距離我上次回來找你，一下子半年就過去了。」

他目光停在她的側臉，「妳這次會待到什麼時候？」

「應該會暫時留下來，我爸身體變得不太好，前陣子才住院。我姊有自己的家庭要顧，我擔心我媽一個人太辛苦，決定先回來。」

「工作呢？」

「我還挺幸運，有個朋友開了一間私人補習班，一知道我回來，她馬上邀我當英文老師，下週就開始上班了。」

「不錯啊，感覺是適合妳的工作。」

「那我就放心了。」她噗哧一聲，「你過得怎麼樣？」

「老樣子。」

「你眞的一點也不像年輕人，連社群都不玩，害我平常沒辦法知道你的消息。」

「我對玩社群沒興趣。要找我的話，直接打電話就行了。」

「唉，就知道你會這樣說。你愛耍神祕，不肯輕易讓人知道行蹤，所以我每次都找不到人。」

他不解，「有嗎？什麼時候？」

「我指高中的時候啦！你不是動不動就搞失蹤嗎？午休不見，朝會也可以不見，所以老是被教官盯。但奇怪的是，不管你溜到哪裡，敬華都能找到你，簡直就像是你的女友，害我以前常常吃你的醋！」

方佑霆輕哂幾聲。

「歲月如梭……」宋邵媛輕喃：「不知不覺就已經十年了呢。」

方佑霆沒回應，望著墓碑上的照片。

那張被陽光照亮的笑臉，與方佑霆記憶裡的一樣鮮明，清晰到彷彿昨日才見過他。

十七歲時的他。

Chapter 7

「沈佑霆！」

男孩兩手插腰，對躺在屋頂上的人氣憤大喊：「你又給我爬到上面去！」

正要打盹的沈佑霆，懶洋洋地翻個身，沒有理會他。

男孩爬上緊黏在牆上的鐵梯子，不敢往大樓下看，口中不停抱怨，「你知不知道這個梯子有多難爬？什麼地方不去，偏愛往高的地方跑，你以爲你是貓嗎？」

「范敬華，你好吵，讓我安靜睡覺啦！」沈佑霆睏意濃濃，語氣不耐。

「睡個屁，不是說好中午一起吃飯？結果你一下課就落跑！」范敬華到他身旁，動手捶他的背，「起來啦，邵媛還在等我們！」

「別管我，我現在只想睡覺，不想吃。」

「你這個夜貓子，昨晚又騎車出去了對不對？我眞的很納悶，你怎麼到現在都還沒被你爸逮到！」范敬華嘖嘖稱奇。

「當然是因爲我厲害……」意識即將飄走時，背部又遭到對方重擊，痛得他慘叫一聲。

「少廢話，快給我下來。五分鐘後，你不在教室，我就跟你爸告狀。以後教官找人，休想要我罩你！」范敬華撂下狠話就離開頂樓。

不久，沈佑霆心不甘情不願地起身，忍痛放棄珍貴的補眠時間。

「啊，他來了。」

站在教室外的宋邵媛，看到沈佑霆邊打呵欠邊走來，詫異地問身旁的范敬華，「這次有比較快耶，你怎麼辦到的？」

「靠我的威脅呀！」范敬華對沈佑霆挑挑眉頭，得意賊笑，「是眞的怕被你爸知道，還是擔心沒人幫你擋教官？」

「吵死了。」沈佑霆瞪他一眼。

買完午餐，三人坐在校園一角用餐。

范敬華與宋邵媛聊天的同時，沈佑霆又昏昏欲睡。

「佑霆，振作點啦，你的麵包快掉在地上了！」范敬華試圖將他推醒。

「拜託你讓我睡……」

沈佑霆跟范敬華高一就同班，座位相鄰的他們很快便成了至交。他對范敬華的第一印象，是只會讀書的書呆子。

范敬華確實聰明，不僅課業優異，還拿過兩次模範生獎。但沈佑霆與他變熟後，才知道他的本性悶騷又腹黑，極難應付。

在師長面前，范敬華表現出天然無害的乖學生形象，但在沈佑霆面前，他什麼髒話都罵得出，更能笑得天眞無邪地說出惡毒的話。

這種天使與惡魔的綜合體，讓沈佑霆覺得毛骨悚然，然而他很快就習慣，還喜歡上他的個性。

一個擅長念書，一個擅長運動；一個是早睡早起的晨間人，一個是日夜顛倒的夜貓子；一個有懼高症，一個特愛高處；一個深受師長們喜愛，另一個老遭到教官注意；一個喜歡待在家讀書、看電影，一個喜歡騎機車到處跑……

興趣愛好都沒交集的兩個人，成了彼此最重要的朋友。

沈佑霆原以爲對方只會在他面前露出本性，直到高一下學期，身爲班級幹部的范敬華忽然告訴他，他認識了別班的學藝股長——宋邵媛。

宋邵媛和兩人同屆，有一張清秀可人的臉，身爲學校合唱團主唱的她，是許多男孩欣賞的對象。

沈佑霆第一次見到她，是范敬華硬叫醒打瞌睡的他，逼他到窗邊看人——她正與同學在一樓閒聊。

范敬華跟宋邵媛認識後發展得很快，第二學期開始不到三個月，范敬華就宣布兩人交往的消息，臉上天天掛著甜蜜幸福的笑意。

身爲范敬華的死黨，沈佑霆自然也跟宋邵媛變熟。升上二年級後，三人被編在同一班，沈佑霆也完全習慣他們之間有女孩的存在。

★

沈佑霆放學回家經過一條小巷，裡頭傳來熟悉的啜泣聲。探頭望，是個小男孩抱著膝蓋蹲著不動。

於是，沈佑霆回家拿了一樣東西，再回到那巷口。

「小鬼嘉！」他對著小男孩笑咪咪地舉起手上的壘球，「要不要跟我玩傳壘球？」

一把鼻涕一把眼淚的沈佑嘉，衝上去抱住他，「哥哥！」

「哇，怎麼哭得這麼慘？又被班上同學欺負了嗎？」

「他們抓螳螂……還有毛毛蟲，放在抽屜跟書包裡嚇我……」沈佑嘉滿臉通紅，哭得上氣不接下氣。

「小昆蟲而已，沒什麼好怕的，我們小鬼嘉已經二年級，要勇敢一點啊。」

「可是眞的很可怕嘛！」他又氣又急地跺腳，再度放聲大哭。

「好好好，哥哥知道了，是那些傢伙不對，怎麼可以拿蟲嚇你？我們現在就來教訓他們。」

沈佑嘉淚眼汪汪，「要怎麼教訓？」

「你把那些傢伙的名字寫在壘球上，等一下傳給哥哥的時候，大聲喊出想罵他們的話，罵到你開心爲止。」

從哥哥手中接過壘球，男孩擦掉臉上的眼淚跟鼻涕，點點頭。

兩人戴上壘球手套，站在公寓門口前。

沈佑嘉將手中的壘球奮力丟向哥哥，同時大喊：「臭胖子！」

「大聲點，想像球就是欺負你的人，狠狠丟。」沈佑霆接到球後拋回去。

「臭胖子，死胖子，越來越胖的大胖子！」沈佑嘉奮力一丟。

「就是這樣，繼續。」

「我詛咒你和張翔兩個人都變得更胖，胖到走不動！」他越罵越激動，「走在路上掉進水溝裡，爬不起來，然後被……被……」

「被什麼？」

「被……」他漲紅著臉，大叫：「被車子撞！」

沈佑霆噗哧一笑，知道這種程度的詛咒，已經是弟弟的最大極限。

「再丟過來吧。」

夕陽下的兩人繼續玩耍，玩到男孩氣消，破涕為笑，才開開心心地一起回到屋子裡。

週六上午十點，沈佑霆提著早餐走進教室，裡頭只有一個人，他納悶，「敬華呢？」

「咦？」他的出現讓宋邵媛大吃一驚，「你怎麼會來學校？」

「還不是那傢伙一早就狂打電話，叫我今天一定要來幫忙做教室布置。」沈佑霆走到她對面的位子坐下，沒好氣地問：「怎麼我來了，反而沒見到他人？」

「西卡紙用完了，他去幫我買。」宋邵媛歉然一笑，「對不起喔，害你的假日泡湯。」

「算了，我已經習慣了。」他一邊吃早餐，一邊看著她剪紙，「爲什麼只有妳一人在做？其他女生去哪了？」

「她們下午才會到，我提早過來做，反正早上也沒事。」她將剪好的紙花放到一旁。

沈佑霆快速吞完三明治，指著那些五顏六色的紙花，「這些要做什麼？」

「黏雙面膠，我要貼在牆上。」見他拿起雙面膠帶，她莞爾，「謝謝。」

「不會，反正我沒什麼美術細胞，幫不上忙，能做就只有這個。」

「這樣也幫很多啦。」

和煦陽光從窗外灑進，徐徐微風吹起窗簾。

宋邵媛站在課桌前，俯身用鉛筆在壁報紙上描繪圖案。

她的烏黑長髮隨風輕柔地掃過沈佑霆的臉，他停住黏紙的手，抬起眸。

宋邵媛始終低著頭專注地描繪圖案，屬於她的淡淡清香飄在風中，最後停在他的鼻腔裡久久不散。

長長睫毛下的一對眼睛，清澈得彷彿深深凝視就能在裡頭看見倒影。

女孩冷不防抬頭，注意到沈佑霆的視線，好奇地問：「怎麼了？」

「沒有，妳的頭髮……」

「啊，弄到你了？」她馬上將頭髮往後撥，「抱歉，我應該綁起來的！」

「沒關係啦，妳的頭髮是不是又變長了？」

「是啊，我打算繼續留，敬華說他喜歡我長髮的樣子。」她笑嘻嘻，「你喜歡女生長髮還是短髮？」

「短髮吧。」

「你們眞的完全相反耶！明明喜好不同，卻能變成這麼要好的朋友，不可思議。」

「我才佩服妳。看清他的腹黑本性，還不會被嚇跑的女生，我看只有妳了。」

「這代表我跟他很相配呀！」宋邵媛得意道。

宋邵媛跟范敬華一樣，個性並不全然如外表溫和，兩人的脾氣都相當倔。雖然感情穩定，不免還是有鬧僵的時候。這時，沈佑霆就變成他們吐苦水的對象。

「我都跟她道歉了，她還一直說我沒心，我又不是故意把她的東西弄丟的。我說『再買一個就好』，她又怪我什麼都不懂。她是不是很不講理？」

范敬華跑去頂樓，吵醒睡午覺的沈佑霆，在他耳邊劈里啪啦地抱怨個不停。

放學時間，換宋邵媛逮住他，不讓他跟范敬華回家。

「那是我送給他的第一個禮物，意義完全不同，他怎麼可以說『再買一個就好』？完全不把別人的心意放在眼裡，也從不懂得珍惜！」

女孩一臉氣呼呼，回頭噘嘴問：「沈佑霆，你會站在我這邊的，對吧？」

這是屬於他們三人的十七歲。

這段快樂美好、耀眼燦爛，卻也有著脆弱與迷惘的年紀，心中總容易藏有一、兩個祕密。

即使是最好的朋友，也說不出口的祕密。

某天下午，到學校圖書館閒晃的沈佑霆，從架上拿出一本書隨意翻閱。

沒多久，他聽見輕輕的腳步聲與交談聲，有兩人走到不遠處的書架，是范敬華跟宋邵媛。

他們交談一會，范敬華就伸手摟住女孩的腰，將她拉近自己，同時，宋邵媛的雙手繞到他頸後，兩人就在隱密角落互相嘻鬧，親吻彼此。

沈佑霆靜靜地注視著這一幕。

他和最好的朋友，個性與興趣都天差地遠，沒有半點相似之處。

然而，他們卻喜歡上同一個女孩。

沈佑霆將這份心意深藏在心底，而且有把握不被任何人看出。

可是每當宋邵媛的笑容驀然竄進視線，他還是會瞬間恍神，目光不由自主在她臉上停留。

他對宋邵媛的感情是淡淡的情愫，並不轟轟烈烈，因此就算看見她和范敬華的親密畫面，他也不至於難受到痛徹心扉，頂多在下一秒深呼吸時，胸口會微微抽痛。

當時的他，只希望這份感情可以停在這裡，不會繼續前進。

「哥哥。」

夜晚，沈佑嘉打開他的房門，怯怯道：「我可不可以跟你一起睡？」

沈佑霆摘下耳機，回頭一瞧，聽見從客廳傳來的爭執聲。

於是，他點了點頭，「好啊。」

男孩馬上鑽到他的床上，似乎是因爲有哥哥在身邊，他放心地閉上眼睛，沉沉入睡。

幫弟弟蓋好被子，此時外頭已經沒了聲音，沈佑霆走出房間，在廁所門口碰上父親。

「佑霆，你還沒睡？」

「準備睡了，想先去上個廁所。」

「嗯，爸爸也準備去洗澡了。」沈父轉身就要離開，卻被叫住，「怎麼了？」

「爸，你還好嗎？」沈佑霆關心，「你看起來很累。」

沈父微笑，「爸爸沒事，你早點睡，晚安。」

語落，沈父便進了浴室。

沈佑霆沒回房間，無聲地走到客廳，一抬眼就看見母親背對著他，坐在餐桌前的疲憊身影。

半夜兩點，沈佑霆悄悄拿走機車鑰匙，離開家，跨上機車往街上騎去。

一個小時半後，他騎到山區，將車子停在路邊，脫下安全帽，仰頭眺望夜空。

這天的星星數量比往常還要多，天空的顏色也令人驚豔不已。

深黑、深藍、淺藍、深紫、淺紫……遠方盡頭是一條粉紅色的水平線，如此夢幻的絕美畫面，讓他目瞪口呆地坐在車上，久久無法動彈。

下一秒，他看見一顆璀璨流星從天空一劃而過，牽出一條白色光線，沈佑霆當場驚呼，那顆流星清晰又明亮，近得彷彿伸手可及。

流星消失後，他的心臟依然快速跳動，心情無比激動。

「太酷了……」

又驚又喜的他，全身起雞皮疙瘩，這是他第一次親眼看見流星。

下山後，他傳訊息跟范敬華炫耀。

范敬華跟他要照片，他才驚覺忘記拍照，連天空都忘記拍，結果被對方臭罵一頓。

前一晚的經歷，讓沈佑霆興奮到天亮，整天都精神抖擻。

他沉浸在昨晚看見的那顆流星與美景之中，忽然間，後面同學傳來紙條，是宋邵媛寫的，請他幫忙叫醒范敬華。

沈佑霆這才發現，鄰座的范敬華趴在桌上睡著了。

沈佑霆伸手要搖醒他，對方卻無動於衷，眼看老師隨時會發現，他只好使出殺手鐧——用筆尖朝范敬華的腰部用力一戳。

范敬華嚇到當場彈跳起來，桌子發出巨響，全班同學驚愕地看向他。

「范敬華，你怎麼了？」老師嚇一跳。

「沒、沒事，對不起。」范敬華滿臉通紅，狠瞪身旁用力憋笑的好友。

下課後，范敬華把沈佑霆拖到外頭，鎖住他的喉嚨，讓他呼吸不得。

「幹，沈佑霆，我眞的要殺了你！」

「喂，住手啦，誰叫你怎樣都叫不醒。若被老師看到你這個乖學生打瞌睡，那還得了？我是為你好。」

「聽你放屁，什麼地方不戳，偏偏給我戳腰，你根本是故意的吧？」

「好好好，我錯了，我道歉，我快窒息了啦！」好不容易掙脫對方的手，沈佑霆咳幾聲，「不過，你怎麼了？我從沒看過你在課堂上打瞌睡。」

范敬華沉默，鬱悶地說：「我昨晚幾乎沒睡。」

「為什麼？」

「不知道，收到你的訊息後，就怎樣都睡不著了。」

沈佑霆納悶地觀察著他，還未回應，對方就再度出聲。

「佑霆，你知道嗎？其實我很羨慕你。」他淡淡問：「怎麼樣才能像你一樣自由？」

「什麼？」

「要怎麼樣才能像你一樣無拘無束，想去哪就去哪，想留在哪就留在哪，不被任何人綁住，只做自己想做的事情。教我一下好不好？」

「幹麼突然講一堆莫名其妙的話？」他敏銳地問：「你發生什麼事了？」

范敬華眼中黯淡無光，口氣沉重，「我爸前天跟我說，下學期他打算把我送到英國的叔叔那裡，讓我在英國念書。」

「英國？」沈佑霆震驚，「你開玩笑的吧？」

「是眞的，我爸心意已決。他還說，他原本是想在我國中畢業時就把我送過去的。」

「喂，這太突然了吧？就算要出國，爲什麼不等到高中畢業再說？這樣根本沒剩幾個月……而且，眞的非把你送出國不可嗎？」

「我已經跟我爸再三強調，我想留在這裡讀醫學系，並在這裡當醫生，可是他仍堅持己見，說等我畢業了再回來也不遲。」

范敬華苦笑，「佑霆，我該怎麼辦？」他嘆了一口氣，「我不想走。」

沈佑霆呆愣片刻，「邵媛知道嗎？」

「我還沒告訴她，你不要跟她說。」他神情疲憊，「我不曉得怎麼向她開口。」

兩人陷入沉默，直到下一堂課的鐘聲響起。

「沈佑霆！」

正要從頂樓回教室，宋邵媛突然出現在門後。

「妳怎麼會在這裡？」沈佑霆有些驚訝地問。

「當然是偷偷跟著你來的呀。」她臉上露出調皮又曖昧的笑容，「剛才離開的那個女生，是一年級的吧？她把你約到這裡，是要跟你告白對不對？」

「喂，誰准妳偷看的？」

「人家只是好奇嘛。」

「宋邵媛，妳很無聊。」他快速走下樓，卻馬上被她抓住，「好啦，對不起，我不是故意的。不過，我確實有事要找你，想給你看個東西。」

「什麼東西？」

她神祕兮兮地勾起唇，舉起左手，將無名指上的銀戒秀給他看。

「這是敬華送給我的。」她笑得無比嬌羞，「你相信嗎？昨晚他居然跟我求婚！」

沈佑霆瞠目不動。

「看到他拿出這枚戒指，我真的嚇壞了。」她雙手捧著紅通通的臉，幾乎就要蓋住眼睛，「超誇張的，我們才十七歲耶，沒想到他會突然這個樣子。我到現在都還是覺得很害羞！」

沈佑霆不發一語，只是盯著她看。

「我的心情到現在都平靜不下來，所以忍不住跑來跟你說，不然我的心臟眞的會爆炸。」靦腆地笑一陣後，她又把話題轉回他身上，「那學妹在跟你告白吧？你有接受她的心意嗎？」

「怎麼可能？」

「是喔……」她神情微妙，「她很可愛呀，你眞的不考慮一下嗎？還有上次那個，看起來也很有氣質，難道都沒有一個會讓你心動的？」

沈佑霆沒回答，目光停在她臉上，「邵媛。」

「嗯？」

「敬華他……」

「敬華怎麼了？」

見女孩幸福甜蜜的樣子，他肯定范敬華還沒告訴她事實。

「妳有沒有問他這枚戒指多少錢啊？」他打趣問。

「齁，這當然不可能是眞的結婚戒指。價錢不重要，重要的是心意！」

「好啦，不過這傢伙眞是亂噁心一把的，虧他想得出這招。」

笑著回答的同時，他的胸口湧上強烈心酸。

范敬華，你眞是個大傻瓜。他在心中暗自吐槽。

半夜一點，應該老早就上床睡覺的范敬華，忽然捎來一通電話。

「你今天晚上還會出去嗎？」

「幹麼？」

「如果你有出去，過來載我好不好？我也想出門散心。」

對方安靜了好一會兒都沒反應，范敬華哀求，「拜託啦，沈佑霆。」

明白范敬華的心事，他不忍拒絕，便答應了。

確定全家人都睡著後，沈佑霆準備出門。

經過餐廳時，發現桌上放著一個牛皮紙袋，他好奇地抽出紙袋裡的東西——一份離婚協議書。立協議書人的部分，簽著父親與母親的名字。

將協議書放回原來的位置，他安靜無聲地離開家裡。

一點三十分，已經等在自家巷口的范敬華，伸手接過沈佑霆遞來的安全帽。

「你怎麼了？」范敬華問他。

「什麼？」

「每到晚上，你不就是一條龍嗎？今天怎麼看起來這麼沒精神？」

「你從哪裡看出我沒精神？明明就很生龍活虎。」

「屁咧，當我瞎了嗎？」他無奈地笑，「你爸媽又吵架囉？」

他沒回應。

對方跨上後座後，沈佑霆問：「你想去哪裡？」

「嗯……去山上吧，就你常去的那裡。你不是說那裡的星空很漂亮？帶我去瞧瞧，說不定有機會看到你上次說的流星。」

「你不是有懼高症？」

「哇靠，你當我沒爬過山嗎？這種程度我可以啦！」

於是，沈佑霆發動車子，準備前往山區。

各有所思的二人，一路上皆有默契地不開口。他們知道對方此刻不需要任何安慰的話語，有彼此的陪伴便已足夠。

「我的媽啊，星星未免也太多，我起雞皮疙瘩了！」

范敬華跳下機車，摘下安全帽，呆呆仰望著一整片星光，深受震撼，「眞的超漂亮，但怎麼沒有你說的『彩虹天空』？」

「哪可能那麼容易被你看見？那是老天爺看我常來報到，才特別賞給我的美景。」

「白痴喔。」

他們並肩坐在草地上吹風，欣賞著怎樣也看不膩的滿天星斗。

「佑霆，我告訴邵媛要出國的事了。」

沈佑霆一愣，望向表情平淡的他，「她還好嗎？」

「超不好，她很生氣，而且一直哭，不肯接我的電話。」

沈佑霆聞言一陣沉默。

「爲什麼有些大人可以不顧小孩的心情，硬是逼我們照他們的決定去做？」范敬華沙啞的聲音染上悲憤，「明明終點都是在同一個地方，爲什麼過程非要搞得這麼複雜？爲什麼非要這麼做才是爲我好？他們一點都不在乎自己的決定會害多少人痛苦。還是因爲我們是小孩，所以我們的想法都不值得聽？」

他頓了頓，「我該怎麼做才好？佑霆。」眼眶含淚，聲音哽咽，「我真的不想離開邵媛……」

他沉痛的提問，讓沈佑霆回答不出，只能輕輕將手放在他的肩上。

兩個小時後，他們準備下山。

戴好安全帽，沈佑霆說：「回去後好好睡一覺，等邵媛情緒穩定一點，再好好跟她談。」

「嗯，如果邵媛有打給你，幫我安慰她。你說的話，她多少會聽。」

「好。」

「謝了。」范敬華落寞地再看一眼星空，「可惜今天沒有流星出現，沒辦法許願。」

「安啦，我下次來會幫你許，走吧。」

下山途中，他們聊天嬉笑，沁涼的風吹過他們臉上，讓心上的鬱悶消散了些。

這時，耳邊傳來車子飆速的聲音，八台機車突然出現在他們後方。

一連串刺耳的引擎聲，以及一群男子的吆喝聲，朝他們逼近。

那群飆車族發現沈佑霆跟范敬華，像是一群野狼看見一隻落單的小綿羊，興奮地歡呼，還有人高舉手中的棍棒示威著。

范敬華嚇得臉色刷白，神情驚慌，「喂，佑霆……」

「敬華，快點抓緊我！」沈佑霆催下油門，加速往前衝。

後照鏡中映照著那些人的窮追不捨，喧囂聲不絕於耳。

儘管沈佑霆想擺脫糾纏，速度終究比不過他們，沒有多久，兩台機車從旁超越，車上的人對他們投以挑釁的笑。

沈佑霆猜想這些人接下來會擋在他們前方，封死去路，於是他搶先一步，迅速穿過前方那兩台機車準備迴轉的中間空隙。

見狀，那群人咒罵連連，徹底被激怒，再度追過來。

「敬華，你還好吧？」一滴汗從沈佑霆額際滑下。

「我沒事，可是那些人還在追，怎麼甩都甩不掉，怎麼辦？」他不安地頻頻回頭張望。

「快到山下了，下山後我往最近的警察局騎，那群人應該不會笨到繼續追來！」

然而，就算沈佑霆用最快的速度狂飆，山路蜿蜒加上視線昏暗，他的注意力一再被干擾，最終，他們還是被追上了。

那些人拿起棍棒一揮，朝沈佑霆的車頭砸，另一台車作勢要擋人！

沈佑霆差點就要撞上去，爲了閃躲，他下意識往右方轉，卻擦撞到分隔島，重力加速度讓整台機車失控，猛烈地撞上電線桿，撞擊力道大得使車上的兩人瞬間被拋飛……

當沈佑霆稍微恢復意識，他早已倒在地上，傷痕累累，全身劇痛。

他環顧四周，全是機車的碎片與殘骸，而那些飆車族已經不見蹤影。

他焦急尋找好友的身影，不久，他看到范敬華倒在不遠處動也不動。脫落的安全帽掉在一旁，頭底下的汩汩鮮血，將地面染成一大片怵目驚心的紅，他的眼睛再也沒有張開過。

「敬華……」沈佑霆如墜冰窟，使盡力氣想到對方身邊，卻頭痛欲裂，身軀彷彿就要支離破碎。

這時，遠方傳來警鈴跟救護車的聲音，他的意識逐漸模糊，再度倒下，墜入黑暗之中。

這起事故，造成沈佑霆的右手跟右腳骨折，坐在後座的范敬華當場沒有生命跡象，搶救後仍回天乏術。

范敬華告別式的那天，沈佑霆和父親到靈堂致哀，被范父狠狠賞了一個耳光。那一巴掌讓他倒地，頭昏眼花，嘴角還滲出了血。

范父雙眼通紅，對他憤怒咆哮：「你怎麼可以半夜把敬華帶到那麼危險的地方？再怎麼樣你都不該把他帶去那裡！」

「范先生，對不起，都是我教導無方。」沈父拉起兒子。他兩眼深陷，臉上滿是憔悴，跪下向范父賠罪，「一切是我的錯，我沒有把孩子教好，要怪就怪我這個父親吧。眞的對不起，對不起……」

看見父親為了自己在眾人面前下跪，沈佑霆的眼淚掉了下來。

面對宋邵媛時，他什麼解釋的話都說不出口，只能重複地說著「對不起」。宋邵媛神色淒然，舉起拳頭朝他的胸口一捶。兩次、三次……落在他胸口的拳頭越來越快，也越來越重，最後女孩陷入崩潰，哭得聲嘶力竭，瘋狂發洩著對沈佑霆的恨。

知曉此事的人無不對沈家父子議論紛紛，嘲笑沈父堂堂一名律師，兒子卻闖出如此大禍，想必是平時溺愛兒子，或是對孩子毫不關心，才會連小孩經常半夜出門都不曉得。

儘管批評沈父的聲浪不斷，然而沈父似乎能明白兒子內心的悲慟，因此不曾責備他一句。對八歲的沈佑嘉，全家也都有默契地不讓他知道太多。

最好的朋友離開人世後，沈佑霆的父母也正式離婚，從此各分東西。

爲了不再讓沈佑霆遭受旁人的閒言閒語，沈父決定讓他跟著母親離開。

離開這個家的前一天，沈佑霆與弟弟於日落時分，在公寓門口玩傳壘球。

「哥哥，你會回來找我嗎？」

「當然會啊。」

「眞的？不可以騙我喔。」

「不會的，等我回來，會再找你玩壘球，到時小鬼嘉也要變得更勇敢。如果同學再對你惡作劇，要狠狠反擊，讓他們知道你不是那麼好欺負的。答應哥哥，以後別再躲在巷子裡哭了，好不好？」

雖然沒把握，但爲了哥哥，男孩仍是答應了。

晚上，男孩又跑到哥哥的房間，和他一起睡，度過兄弟相聚的最後一晚。

隔日早上，沈佑霆的舅舅開車過來接他們母子。

沈父給沈佑霆一個溫暖擁抱，在他耳邊溫柔叮囑：「好好保重，有什麼事隨時聯繫爸爸。」

「哥哥，你一定要回來看我喔！」

沈佑霆就此離開住了十七年的家，離開最愛的父親與弟弟。雖然都在台北地區，兩家依然有些距離。

跟著母親搬去外婆家後，沈佑霆曾聽見外婆難過地對外公說：「我以爲會帶佑嘉回來……」

不知從何時開始，「家人」這兩個字對他而言，變成一個夢幻不實的名詞，不是簡單地冠上相同的姓氏，就能變成一家人。

這一切本來就不屬於他，也不是他能擁有的。每每看著母親的身影，這樣的想法就越是深刻。

那不是他的。

從一開始他就沒資格擁有。

「可惜今天沒有流星出現，沒辦法許願。」

「安啦，我下次來會幫你許，走吧。」

范敬華死後，他就不曾再回到那片星空下。

「我要暫時離家一段時間，很快就會回來，不用擔心。」

某天深夜，他留了紙條給睡著的母親，並租借一台機車，再次前往那座山上，回到和范敬華留下最後回憶的地方。

他苦苦等待流星出現，想要實踐對摯友的承諾。

當無盡星光占據視線，將整個世界包圍在一片璀璨之下，他的眼淚再也止不住地奔騰而出。

他雙膝一軟，趴跪在地，發出乾嘔似的破碎嗚咽，淚水一顆顆墜在草地上。

他哭得心碎，也哭得崩潰，不斷祈求流星出現，祈求上天讓范敬華回來。

他想，不該是范敬華離開，他才是不應該存在的那個人，如果可以，他真的願意替范敬華死，不會後悔。

如果沒有他，他愛的人都可以過得更幸福。

是他親手摧毀所有人的幸福。

留下紙條就失聯的沈佑霆，三天後被巡邏的員警發現——他坐在路邊，全身被大雨淋得溼透。

接到通知的沈父抵達警局，看見坐在椅子上的兒子，焦急的面容出現笑意，

「佑霆！」

父親的聲音讓他回神。他臉上無半點血色，眼底也一片無光。

看著面容憔悴，整個人瘦了一圈的兒子，沈父將他擁入懷中，語氣心疼，「佑霆，沒事了，你平安無事就好，跟爸爸走吧！」

沈佑霆跟著父親走出警局，此時的大雨仍激烈地下個不停，彷彿全世界的雨都聚集到這裡。

「我跟你媽媽說會把你送回去，她就不用特地跑一趟。你在這裡等我，爸爸把車開過來。」

沈父撐著傘就要走進雨中，下一秒，他聽見兒子叫他，「佑霆，怎麼了？」

「爸，對不起。」他啞聲說。

聞言，沈父先是微笑，接著對上他的視線。

沈佑霆的眼眸不見波動，猶如深不見底的死水，再沒有一絲光芒。

「從今以後……」他語氣沉靜，「我不會再給你添任何麻煩了。」

他清楚記得那天的雨，重得像是要將人打入深淵，冰冷到凍結身心，感受不出淚水的溫度。

他知道，無論怎麼等，他再也等不到流星。

他們再也回不去那個地方。

星期六，天空突然下起與十年前那日一樣的大雨。

修車廠裡的大家過著與平常一樣又有些不同的日子。

忽然間，大熊一臉頹喪地嚷嚷：「沒看到紀唯小妹，眞的好無聊，怎樣都提不起勁！」

「就是啊，這三週都沒人來陪我們聊天，有夠空虛寂寞的！」周一銘附和，忍不住噘嘴碎碎念：「要不是某人把小妹嚇跑，害她不敢再來，我們現在早就喝到小妹買來的飲料，開開心心地聊天了。」

那兩人意有所指的抱怨，讓蹲在大門邊檢查車子的方佑霆停頓了下。他沒有多做反應，安靜地繼續工作。

「你們哪來這麼多廢話？專心做你們的事！」龍哥瞪他們。

「龍哥，本來就是啊！小妹只不過是想跟我們去玩，而且還是我們邀請她的，結果阿霆這傢伙突然就把她罵得狗血淋頭，他這樣不就等於也在罵我們？害我覺得很對不起小妹！」周一銘不悅。

「就是啊，而且龍哥你也知道小妹對阿霆有多好？每個禮拜都大老遠跑來這裡看他，還送東西給他吃，這樣的妹妹要去哪裡找？這個臭小子居然到現在都還不跟她道歉，簡直沒血沒淚，氣死我了！」大熊憤慨不已。

大師默默走到方佑霆身邊，「阿霆，你眞的不打算跟小妹聯絡了？」

「我那樣凶她，又說了那麼過分的話，她應該已經討厭我，也不想再見到我了。」他淡淡地回：「就算道歉也無濟於事，所以就這樣吧。」

「你不會覺得寂寞嗎？」

「沒什麼好寂寞的，不過就跟之前一樣而已。」

「你都不會捨不得小妹？」

「是因爲我父親的關係，再加上她叫我『大哥』，我才覺得自己有責任跟義務。現在不過是回到原來的位置罷了。」

見他沒正面回應，大師嘆氣，「好吧，既然你是這麼想的，那確實沒差，反正你本來就習慣一個人。小妹不在，對你自然不會有什麼太大的影響，對吧？」

大師走掉後，方佑霆看著眼前的輪胎，雙手慢慢停下，心緒飄向別處。

「家人……包括你嗎？」

「當然不會，正好相反，我非常高興他是我大哥呢！」

「你知道嗎？我眞的很慶幸我有來這裡找你。能夠遇見大哥，是我最幸運的事！」

「眞的謝謝你來看我比賽，我好高興！」

「我在夢裡頭有追著流星跑，追到最後說不定就可以見到大哥了！」

他的眼神因回憶而變得深沉，他輕輕嘆息，拿起扳手繼續工作。

這時，一雙熟悉的白色帆布鞋出現在視線裡，他愣住，抬頭就看見女孩一手提飲料，一手撐傘，站在他的身邊。

「爲什麼不跟我解釋呢？若你願意告訴我實話，我就不會去了嘛。」

語落，紀唯無奈莞爾，「大哥眞是傻瓜。」

方佑霆的思緒停滯在她的笑顏裡，一度無法運轉。

「大哥，我還是很想去看星星。」紀唯眼神認眞，「但不去山上，你陪我去海邊看，好不好？」

女孩的要求，讓方佑霆喉嚨一緊，說不出話，情不自禁點頭。

那日的雨下了整天，將天空洗滌乾淨，隔天回到一望無際的藍。

日落時分，紀唯和方佑霆一起到白沙灣，與海連接的遠方天空出現幾顆星星。光著腳丫行走在沙灘上，女孩享受著海風。她指著天空，回頭對身後的男人說：「大哥，星星出來了！」

她往前跑向大海，冰冷的海水打在腳上，女孩忍不住驚叫。看著這一幕，方佑霆的心忽地一緊，趕緊喊：「紀唯，小心點，這樣很容易感冒！」

「不會啦，你放心，我今天穿得很多，也有戴圍巾。大哥，那邊的星星好像比較多，我們過去看！」紀唯跑回去抓住他的手，拉著他往沙灘另一頭跑。

「妳的手很冰。」方佑霆回握女孩的手，眉頭微擰，「眞的不冷？手指都凍僵了。」

「那是因爲我剛才有碰到海水呀。」她哈哈笑，眼睛一亮，「但大哥的手很暖和耶！在回暖前，我就先牽著大哥的手囉！」

女孩牢牢與他相握，前後搖晃了幾下，這舉動讓方佑霆失神幾秒。

兩人跑向更遠的沙灘，朝聚集最多星星的地方奔去。

夕陽消失後，海的盡頭變回一片近墨的深藍。

沿著方佑霆的視線看去，紀唯發現他們看著同樣的星空。她好奇地問：「這裡的星星不像大哥在山上看到的那樣多吧？」

「嗯，但也很美。」

「若這裡也能看見流星就好了。」

方佑霆沉默，眞誠道歉，「對不起，紀唯，都是大哥不好。」

「沒關係啦，大師跟我說明原委後，我就明白大哥的心情了。所以你之前才會說『很早以前就沒再回去山上』，對不對？」

他笑而不語。

「你什麼時候開始騎車去看星星的呢？」

「國二。」

「哇，大哥眞的從小就很愛往高的地方跑耶！」

「是啊，因爲站在高的地方，我可以感受到自己的渺小，覺得煩惱其實微不足道，心情也因此能好轉。」

「大哥國中時的煩惱是什麼？」

他目視前方，聽著海浪聲，「煩惱自己是個掃把星。」

「掃把星？」

「有很長一段時間我都認為，我爸媽的感情會變差，甚至離婚，都是我害的，所以每當我因為這件事心情不好，就會跑去山上散心，久而久之就變成一種習慣。」

「為什麼你會覺得父母離婚是你害的？」紀唯愣住。

「因為如果沒有我，我媽的人生就不會被絆住，可以做更多她想做的事，也不會因此跟我爸衝突不斷，更不會讓佑嘉這麼小就嘗到與家人離別的痛。在我好友死去之後，我更覺得自己不該出生在這世上，害家人因我蒙羞。」

紀唯專注聆聽，小心翼翼開口：「我曾經聽沈佑嘉說……你的好友去世後，你有一段時間失蹤了，你那時去哪裡？」

「我回到那座山上等流星。」他淡淡地說：「我想跟流星許願，用我的命來換他的命，雖然知道不可能實現，但我當時真的只剩下這個願望。他將來會成為醫生，拯救許多人命的醫生，不應該在那時候就死去，讓所有愛他、珍惜他的人傷心。不應該是他遭遇到這種事，不應該是他死，無論我怎麼想，都替他感到不值。」

「大哥至今還是會這麼想嗎？」紀唯問：「如果現在有流星，你還是會許下跟當時一樣的願望嗎？」

方佑霆繼續眺望著天空，沒有回答。

紀唯靜靜凝視他的側臉，有了一個主意，「大哥，你頭轉過來，然後稍微蹲下。」

方佑霆依言俯身，紀唯卸下脖子上的圍巾，拿下項鍊，雙手繞過他的脖子。

兩人分開後，他才發現紀唯竟將自己的項鍊戴在他的脖子上。

「這條項鍊是我爸爸在我小時候做給我的。他很喜歡戶外活動，尤其是爬山。我幼稚園時，他在登山時不幸罹難，我媽傷心了好久，說將來絕不會再找像我爸這種愛山成痴的人當老公。」

語落，她語重心長，「我明白發生這樣的事，大哥心裡一定很難受。但我認為，你和你朋友的生命都一樣珍貴，不該用這點去衡量值不值得。如果當時出事的是大哥，你身邊的人絕對也會傷心難過。」

方佑霆一時無語，安靜地聽女孩說下去。

「我很慶幸你活了下來，要是你死了，我就不可能遇見你。」她傾吐肺腑之言，「我真的很感激能夠遇見大哥，若沒有你，我想我不會撐過最孤單的那段時光。你沒嫌我煩，還耐心地陪伴我、鼓勵我，讓我明白什麼對自己才是最重要的，也變得比以前更珍惜身邊的人，包括大哥。」

她接著說：「這條蛋白石項鍊是我的寶貝，我最珍惜的寶物，現在我把它交給你。你知道這代表什麼嗎？代表你對我來說也非常重要且珍貴。」

紀唯望進他的眼睛，「大哥，你也是我的寶物，知道嗎？」

方佑霆在她的凝視下動彈不得。

「我把我的寶貝放在你身上了，大哥要替我好好保管，不可以弄丟！」她兩手插腰，笑得燦爛，「今後不管發生什麼事，我都會站在大哥這邊的！」

女孩的話如同耳邊不間斷的海浪聲，一次次拍打他沉寂的心房。

忍住湧上鼻腔的酸楚，他輕撫著紀唯給他的項鍊，揚起微笑，「好。」

兩個小時後，方佑霆回到家，口袋裡的手機響了起來。

「阿霆，明天我會晚點進修車廠，那位許先生若來問車子的事，你幫我跟他說明一下，我會再聯絡他。」大師在手機彼端吩咐。

「好，我知道了。」

走進廁所扳開水龍頭，面對鏡子的那一刻，他看見脖子上的蛋白石項鍊，視線就此定住。

「那就麻煩你了，先這樣。」大師正要掛斷，就被方佑霆叫住，「怎麼了？」

「大師你……」方佑霆凝視著項鍊，訥訥道：「有沒有人曾經對你說過，『你很珍貴』、『是寶物』這樣的話？」

「怎麼？有人對你這麼說嗎？」

「沒有啦，我無聊問問。」

「珍貴的寶物啊……」大師笑起來，「可惜，我還沒那麼幸運，碰到願意把我視爲寶物的女人。若眞有人願意對我這麼說，我應該會很感動，畢竟能被某人當作心中的寶物，不就證明你有多麼被對方珍惜？」

方佑霆放下手機，腦中迴盪著大師的話。

「畢竟能被某人當作心中的寶物，不就證明你有多麼被對方珍惜？」

他眼眶微熱，前所未有的澎湃心情油然而生。

Chapter 8

期末考結束，寒假開始。

修車廠過年期間暫停營業，初五才開工。

「大哥，今年你也是回你母親家吧？」紀唯問著正在修理引擎的方佑霆。

「對啊，妳呢？」

「我們今年要去高雄跟沈叔叔的父母一起過，所以會有幾天沒辦法來見你。」

「很好啊，去溫暖一點的地方走走吧。」他莞爾。

「嗯。」

其實紀唯很希望方佑霆能夠跟他們一起過年，但她沒說出口。

她前陣子從沈父那裡聽說，過去邀方佑霆回來吃團圓飯，對方都以「要陪母親」爲由婉拒，她想今年應該也不例外。

雖然可惜，但這也是沒辦法的事。

紀唯回去後，龍哥走到方佑霆身邊，「阿霆，你眞的有要跟你母親過年？」

他一凜，「爲什麼這麼問？」

「當然是因爲知道你在說謊。你剛剛是騙小妹的吧？你前年沒回去，去年沒回去，今年也沒打算回去，對不對？」

方佑霆抿了抿唇，沒有回話。

「眞不知道該怎麼說你才好。」他無奈拍拍對方的肩，「這樣吧，今年你來龍哥家，我介紹更多我的正妹親戚給你認識。」

「龍哥，哪有這樣的？你每次都偏心阿霆！」大熊抗議。

「對啊，爲什麼只有阿霆有好康？」周一銘也怨。

先離開的紀唯到了公車站，在翻包包找悠遊卡時，看見家裡的鑰匙，猛然想起忘記將方佑霆家裡的鑰匙還給他。

她立刻折返回修車廠，正好清楚聽見他跟龍哥的對話。

她沒有上前找方佑霆問清楚，而是回家問沈父。

「去年跟前年我都有找佑霆一起過年，但他以『要回母親家過年』爲由拒絕了。」

發現女孩神色有異，沈父問：「怎麼了嗎？」

「叔叔，大哥似乎沒有回他母親家過年耶。」紀唯小心翼翼地開口：「我今天不經意聽到大哥跟他同事的對話，好像從前年開始，大哥就沒有再回家過節了……」

「這是眞的嗎？他有說原因嗎？」

紀唯搖頭。

沈父愣然一會，「我知道了，我會去了解情況，謝謝妳告訴我。」

晚上十點，紀唯去廚房倒水喝，回房途中，客廳隱隱約約傳來沈父的嘆息聲。

她好奇地悄悄走去看，對方面色陰鬱地坐在餐桌前，而母親坐在他的身邊。

沈父看起來像是遭受到嚴重的打擊，紀唯從沒見過他如此陰鬱的樣子。

「發生什麼事了嗎？」任母關心。

沈父深深一嘆，「我今天爲了佑霆，聯繫我前妻。」

「怎麼了？佑霆發生什麼事嗎？」

「紀唯告訴我，佑霆好像從前年就沒回他媽媽那裡過年，所以我向前妻確認。結果不只這一、兩年，佑霆從她那裡搬出去後，就再也沒回去過了。」

「你是說，佑霆整整九年都沒有回家過年？」任母吃驚。

「對。我前妻說，佑霆每年都告訴她，我有找他回來吃團圓飯，所以她沒多想，以爲佑霆眞的有回來我這裡。實際上根本沒這回事，每年我問那孩子要不要回來，他都說要去母親那裡。」

「所以佑霆是刻意瞞著你們？他這九年都沒跟任何家人過節，除夕也是一個人過？」

「應該是。若紀唯沒跟我說，我恐怕永遠不會知道。」

「怎麼會這樣呢？」任母難以置信，心疼地說：「這麼多年來，居然都沒有回家吃團圓飯，佑霆一定很孤單吧。」

紀唯凝視沈父沉痛的表情，許久才默默回到房間。

翌日下午，紀唯在前往修車廠的路上，注意到一台眼熟的車子。

確認過車號，她心裡一陣訝異——沈父坐在窗戶半開的車裡，靜靜凝望和客人談笑的方佑霆。

看見這一幕，紀唯走到副駕駛座敲敲車窗，對回頭看她的沈父微笑。

她上了車，和沈父一起待在車裡，沈父說：「我眞的是很差勁的父親。」

紀唯抿唇，一時不敢回話。

「這樣看著佑霆，我才發現自己跟他的距離已經相當遙遠。」他的目光繼續停在對街的兒子身上，「他小時候是個乖巧又體貼的孩子，喜歡撒嬌，也會跟我鬧脾氣，但從某個時期開始，他漸漸不再跟我親近，變得十分客氣，對我和他媽媽的態度小心翼翼。他的轉變，我以爲是他正値青春期，沒有特別在意。如今回想起，我和這孩子的隔閡，就是從那時起越變越深，最終難以挽回。」

紀唯默然片刻，忍不住開口：「叔叔，我能問你一件事嗎？」

「什麼事？」

「你和你前妻離婚的理由是什麼呢？」

他回頭，笑著問：「爲什麼好奇這個？」

「因爲大哥曾告訴我，你跟你的前妻會離婚是他害的。我不懂他爲什麼會這麼說……」

沈父呆住了，整個人入定許久。

「原來是這樣。」他恍然大悟地喃喃。

他臉上揚起悲傷的笑，對女孩娓娓道來。

「我和佑霆的媽媽是大學同學，交往一段時間後，她懷孕了，於是我們二十幾歲就結了婚。在雙方長輩們的要求下，我繼續求學，她卻必須休學在家照顧孩子。她是個有抱負的人，希望未來能成爲一名律師，可是因爲懷了佑霆，她不得不中斷學業，甚至再也沒辦法回到學校。我知道她的遺憾，也對她很抱歉，但那時的我忙到顧及不了她的心情。在我成爲律師之後，我們的關係就越來越僵，經常吵架。我想，佑霆可能是在我與他母親的某次爭吵中，不小心聽到了這件事。」

他嘆一口氣，「我很感謝我前妻，雖然這件事讓我們在那段時間都很痛苦，但她從沒有遷怒到佑霆身上，也不曾在佑霆面前說過一句埋怨的話。只是，以那孩子體貼的性格，知道了這件事，一定還是會認爲是自己害得母親失去夢想，覺得自己就是造成父母感情失和的元凶，因此對我們心懷愧疚吧？」

聽到這裡，紀唯也認爲這就是方佑霆的眞實心聲，內心不禁隱隱作痛。

「我跟前妻離婚後不久，佑霆曾失蹤幾天，後來找到他了。我去接他時，他不斷道歉，說不會再給我添任何麻煩。」

沈父眼眶微微溼潤，「明明是一句善解人意的話，如今回想起來我才知道，那是道別。因爲在那之後，那孩子就對我跟他母親關上心房，和我們保持距離。如今我們又各自有了新的家庭，想必會讓他更加確信自己不屬於任何一個家，所以我跟他母親主動找他，他也不願意回來。」

說到最後一個字，沈父的聲音有些沙啞，目光回到對面的修車廠，不再開口。

明天就是除夕，一家人即將前往高雄，沈父卻仍滿腹心事。

紀唯和任母都知道，他不捨讓大兒子繼續獨自一人，然而聯絡方佑霆，對方依然以同樣的理由婉拒。

沈父心疼，更不忍揭穿兒子，只能暗自鬱鬱寡歡。

見對方如此煩惱，紀唯在房裡思考了許久，最後跑去找他和母親。

「我想拜託叔叔跟媽一件事。」

站在他們面前，紀唯雙手合十，認眞地對兩人懇求，「我知道這個要求非常任性不懂事，但我還是希望你們能同意。只要你們答應，我任何事都願意做！」

翌日下午四點，紀唯走到賣場的食品區。

她沒有和家人一塊去高雄。

當時，紀唯硬著頭皮向沈父和任母提出「想留在台北陪方佑霆過年」的要求，她原以爲兩人會生氣，沒想到他們很乾脆地答應，沈父甚至露出欣慰又感動的安心笑容，對她說了好幾次謝謝。

趁著除夕，紀唯前來採買食材，打算晚上跟方佑霆一塊吃年夜飯。

除此之外還有……

「喂，沈佑嘉！」她轉頭不耐地喊：「不要再玩了，快點把推車推過來啦！」

得知紀唯決定待在台北，沈佑嘉也堅持留下陪哥哥。

他玩著賣場的購物車，在四周繞來繞去，最後回到女孩身邊，好奇地問：「妳要買什麼？」

「我決定煮火鍋，所以要買火鍋料，你有想吃的嗎？」

「我想吃麵，冬粉或是粄條！」

「好，那就各買一點吧。」紀唯點點頭，忍不住又叮嚀，「記住喔，不許在大哥面前說溜嘴！千萬不能讓他發現，我們已經知道他都沒回家過年的事，明白嗎？」

「好啦，我絕不會說溜嘴的！」

儘管男孩再三保證，紀唯對他的保密功夫還是一點信心也沒有。她嘆了口氣，「你去拿你想吃的吧。」

「收到！」他馬上去另一區。

紀唯正要跟上，不慎在轉彎時撞到一名女子的肩膀，連忙道歉，「對不起！」

「沒關係。」女子溫婉一笑，推著購物車走過她面前。

紀唯有些愣住，那女人的長相十分熟悉，似乎在哪裡看過……

想了一分鐘，她終於找到答案——那名女子和方佑霆家中那張照片裡的女學生長得一模一樣，她幾乎肯定就是同個人！

半年前從國外回來找大哥的女人，就是她嗎？

如果是，她現在已經回到台灣生活了嗎？

「那個女人好像是阿霆的初戀。」

紀唯腦中響起大師說的話，她下意識與眼前這名女子做連結。

對方站在蔬菜區挑選著食材，紀唯悄悄跟到附近，關注她的一舉一動。

這時，沈佑嘉拿著冬粉跟粄條回到紀唯旁邊，發現她模樣鬼祟，好奇問：「妳在幹麼？」

「你小聲一點！」紀唯將食指貼在唇上，輕聲說：「前面那個穿酒紅色外套的女人，好像是大哥的高中同學。」

沈佑嘉看過去，對方正好轉過頭，將新鮮蔬菜放進籃子裡。

他驚嘆，「哇，長得很漂亮耶！妳怎麼知道她是哥的同學？」

「說來話長。」

女子挑選完便轉身離開，紀唯待在原地，沒有再跟上。半晌，她回頭拉著沈佑嘉繼續採買。

傍晚六點，修車廠裡。

方佑霆手持工具，獨自一人在店裡修車，四周只有電視的聲音陪伴他。

手機響起，龍哥在另一端問：「阿霆，你不會在店裡修車吧？」

「呃……」

「你這小鬼，除夕夜耶，還在那裡幹麼？快來龍哥家，一堆妹都在等你了！」

「不用啦，我準備回去了。我今天有點累，打算回家就直接睡覺。」他笑著說：「龍哥好好跟家人吃年夜飯吧，別擔心我。」

通完電話，方佑霆簡單收拾一下，關掉電視，拉下鐵門，離開修車廠。

他站在門口望著燈火通明的馬路，口中吐出的白煙，證明了現在冷冽的氣溫。

他將車停好在家門口，拎著在便利商店買的便當走進大樓。用鑰匙開門時，屋裡有熟悉的聲音傳出——

「任紀唯，這個煮好了嗎？」

「還沒啦，我才剛放下去！」

方佑霆傻愣三秒後，迅速開門進去，發現客廳的暖爐桌前坐著兩個人。

「啊，哥回來了！」沈佑嘉驚喜。

紀唯往門邊瞧，露出笑顏，下一秒，她跟沈佑嘉同時大喊：「新年快樂！」

方佑霆被眼前這一幕嚇得目瞪口呆，愣愣地看著桌上熱騰騰的火鍋，還有豐富的小菜。

方佑霆還沒搞懂是怎麼回事，沈佑嘉便一把拽過他，搶走他手上的便當，皺眉說：「吼，今天除夕耶，你怎麼吃這個啦？我跟任紀唯準備了超豐盛的火鍋大餐，快來一起吃！」

方佑霆入座後，紀唯馬上遞過一副餐具，「大哥，你要吃飯還是吃麵？麵有冬粉跟粄條，隨你挑！」

看見女孩的笑臉，方佑霆才稍微回神，呆呆地問：「你們怎麼……這是怎麼回事？」

「我們想跟大哥一起吃年夜飯呀！」紀唯笑嘻嘻。

「但你們不是要去高雄嗎？爸他們呢？爲什麼沒跟他們一起過？你們這樣——」

「哥，你放心啦！我們跟爸說想跟你一起過節，爸跟阿姨就讓我們留下來了。他們完全沒生氣，還贊助我們伙食費！」沈佑嘉拿起筷子，盯著鍋中雀躍地道：

「耶，可以了，我要開動啦！」

「大哥，你騎車回來很冷吧？先喝點湯暖暖身。」紀唯端一碗熱湯給他，「我們眞的準備很多，你儘管吃，一定要吃飽喔！」

見哥哥盯著那碗湯沒動作，沈佑嘉撈了一些冬粉到他碗裡，邊吃邊說：「哥，快吃啊，你不餓嗎？我們可是堅持到你回來才開動的！」

「沈佑嘉，你小心一點，湯汁都灑在桌上了！」紀唯驚喊。

眼前的景象與弟弟妹妹的叫喊聲，使方佑霆失神不動好一會，最後，他漸漸露出笑容。

他拿起那碗湯，低頭啜了一口，美味香醇的熱流滑過舌頭，經過喉嚨傳至胸口，暖暖的滿意瞬間塡滿他的心。

「大哥，味道如何？」紀唯問。

「很好喝，這應該不是佑嘉煮的吧？」他唇角牽起。

「當然不是，給他煮不知道會變成什麼樣子？以前我媽要上班，留我一人在家，我就習慣自己煮飯，火鍋是我最喜歡也最拿手的！」

「我也會煮啊，我剛剛有幫忙耶！」沈佑嘉說。

「你明明只把東西丟進鍋裡好不好？」

他們的鬥嘴讓方佑霆輕哂出聲。

今年的除夕夜有弟弟妹妹陪伴，對習慣一個人的方佑霆而言，是料想不到的。

他們留在台北的眞正原因，方佑霆多少了然於心，看到他們爲自己付出的心意，他深深感動，暫時忘卻一切顧慮。

洋溢在這間屋子裡的喧鬧與歡笑，讓他寂靜已久的世界一夕之間熱鬧無比。

一樣的二月，一樣的寒冬，這次他卻一點也不覺得冷。

「大哥，多吃一點喔！你工作很辛苦，要多多補充營養才行。」紀唯再盛了些青菜跟肉到他碗裡。

「好，謝謝妳。」

碗裡熱騰騰的白色煙霧，不小心熏紅了方佑霆的眼眶。

吃完年夜飯，三兄妹一起到附近的公園散散步，消化胃裡的食物。

紀唯與沈佑嘉躡手躡腳地朝方佑霆背後走近，同時在他耳邊「哇」了一聲，讓正在看煙火的他嚇了一跳。

「大哥，我們也來放煙火！」

「我跟任紀唯買了煙火還有仙女棒。哥，一起來放吧！」

他們也邀請公園的居民一起放煙火，一道道絢麗煙火打上天空，三人玩得不亦樂乎。

後來，紀唯拿出手機，請別人幫他們拍照，這是三兄妹首次一起留影。

拍過癮後，沈佑嘉整理著手機照片，忽然抬頭，「對了，任紀唯，我可以把跟妳的合照放上社群嗎？」

「放啊，你開心就好。」紀唯失笑，沒想到他到現在還會這麼問。

「耶！」沈佑嘉歡呼，立刻將照片分享到社群。

回到方佑霆的家，三兄妹坐在暖爐桌前看電視節目、談天說地。

昏昏欲睡之時，沈佑嘉把床鋪的枕頭跟棉被都搬到暖爐桌前，直接躺在地板上呼呼大睡，紀唯也闔眼趴在桌上，誰都不肯去床上。

方佑霆關掉電視，熄了燈，室內只剩下窗外的花火之光。

他幫紀唯蓋上溫暖的毛毯，聽見她輕輕出聲：「大哥，你不冷嗎？」

「不冷，妳蓋著吧。」

「對不起喔，我想要給你驚喜，所以偷偷帶沈佑嘉過來這裡，希望你不要生氣。」她沒張開眼睛，喃喃地說：「能三個人一起過年，我眞的很開心……」

方佑霆微笑，「我也是。」

紀唯放心地勾起嘴角，「太好了。」

在她身邊，方佑霆漸漸有了睡意。

兩小時後他驚醒，一睜眼發現女孩以他的大腿爲枕，睡倒在他身上。

窗外街燈將女孩的睡顏照得朦朧，方佑霆很長一段時間無法從她臉上移開目光。他情不自禁伸出手，輕輕撥開她臉上的髮絲，手指觸碰到她白皙柔嫩的肌膚……

已經多少年沒有這種感覺了？

因爲「幸福」而想哭的心情，已經多久沒有過了？

他不曉得他究竟是忘了，還是第一次眞正體會到這種感受。只記得，當他以爲這個女孩不會再回到他身邊，心底湧上的強烈失落與空虛感，連他自己都訝異。

早已習慣一個人的他，爲何還會爲了有人離開而心痛，甚至感到寂寞？這十年，他不都是這麼走過來的嗎？

「嗯……」紀唯蠕動身子發出的囈語，拉回方佑霆的思緒。

看著睡得香甜的女孩，和睡到打呼的弟弟，他牽起唇角。不久後，他再度沉沉睡去。

一絲冷意喚醒沈佑嘉。他一睜眼，天色已亮，外頭還下著雨。

他瞄了瞄四周，看見哥哥睡在牆邊，而紀唯躺在他的腿上。

睡眼惺忪地茫了一會，沈佑嘉抓抓凌亂的頭髮，起身要去上廁所，卻不小心絆到電線跌倒，那兩人同時被響動驚醒。

溼溼冷冷的天氣，讓他們決定待在家裡，悠閒度過這一天。

「噗——」

一陣悶響傳來，坐在暖爐桌的三人頓時僵住！

正在看電影的紀唯和方佑霆先是互望一眼，再望向玩手機的沈佑嘉。他表情尷尬，露出難爲情的憨笑。

「沈佑嘉！」紀唯尖叫，馬上逃離暖爐桌。

方佑霆則默默起身將窗戶全部打開，讓空氣流通。

「哈哈哈，抱歉抱歉，一不小心就……」

紀唯抓起枕頭朝他身上一陣亂丟，氣得大罵：「沈佑嘉你真的很噁心，沒水準，居然給我在暖爐桌裡放屁。臭死了！」

「對不起啦，我真的不是故意的！」沈佑嘉躲著女孩的追打。

方佑霆忍俊不禁。這時，桌上的手機一閃，是一則新訊息，他馬上拿起手機讀訊息。

「佑嘉，紀唯，不好意思，我出去一下。」他將手機放進口袋，準備出門。

「咦？哥要去哪裡？」沈佑嘉好奇。

「有朋友臨時來找我，我到附近一趟，很快回來。」

「大哥，你和你朋友慢慢聊，我們幫你看家，不用顧慮我們！」紀唯說。

「謝謝。」方佑霆莞爾，拿起外套離開家裡。

沈佑嘉湊到窗邊看，驚訝地說：「任紀唯，妳快過來！」

「幹麼？」

「哥跟一個女人在一起。」

紀唯好奇湊上前，果真看見方佑霆和一名穿著長裙的女人在樓下。

對方的上半身被傘布擋住，看不清五官。兩人對談不久後，便一起走出巷子。

「怎麼有女生一大清早來找哥？難不成哥交了女朋友？」沈佑嘉好奇。

紀唯沒有說話，只是盯著他們離去的方向，直到兩人的身影消失於視線所及。

便利商店裡，方佑霆點了兩杯咖啡，坐在靠窗處，「大年初一，附近的店都沒開，只有這裡可以坐。」

「沒關係啊，我喜歡便利商店，尤其是台灣的。」宋邵媛笑笑。

「妳爸身體還好嗎？」

「好多了，還能暫時出院，回家吃年夜飯。我剛剛去醫院幫他拿藥，想到你住附近，就過來看看你。」她喝一口熱騰騰的咖啡，「你今年也沒有回家？」

他笑而不回。

「你眞的快變成孤獨老人了啦！早知道昨晚就叫你來我家了！」

「別鬧了，不怕妳家人誤會嗎？」

聊了半小時，兩人正打算回去，方佑霆卻突然提起購物籃，從架上拿了許多零食跟飲料。

最後，他提著兩大袋走出便利商店，見狀，宋邵媛納悶地問：「怎麼買這麼多？一個人吃得完嗎？」

「喔，這些是要給我弟弟妹妹的。」

「弟弟妹妹？」

「我忘記告訴妳，昨晚我不是一個人，是跟我弟妹一起過的。」方佑霆將來龍去脈告訴她。

宋邵媛一臉訝異，「這麼重要的事，你怎麼可以忘記說？我還以爲你眞的是一個人過節，擔心你太孤單。他們現在在你家？」

「嗯。」

「我可以跟他們打聲招呼嗎？有點想見見他們。」

方佑霆打電話想跟弟妹說一聲，然而，電話另一頭的驚恐語氣，讓他表情驟然一變，立刻奔回去。

一進屋裡，沈佑嘉整個人癱倒在地板上，紀唯也躺在暖爐桌旁不省人事，桌上擺著散亂的撲克牌和六罐酒精飲料。

方佑霆連忙湊上前，「佑嘉，怎麼回事？你們剛剛在幹麼？」

「我跟任紀唯玩撲克牌，賭誰輸了就喝一罐酒，現在超想吐的……」沈佑嘉喝到滿臉通紅，神色痛苦，幾乎奄奄一息。

扶沈佑嘉躺在床上休息後，方佑霆又到女孩身邊，關心地問：「紀唯，妳還好吧？」

「嗚……我的頭好痛，感覺好想吐，超難受的……」紀唯雙眼緊閉，一副半死不活的模樣。

「你們兩個也眞是，怎麼我才出門一下就變這樣？」方佑霆傻眼，對身後的宋邵媛苦笑，「抱歉，看樣子沒辦法幫妳介紹了。」

「沒關係，他們沒事吧？」她關心。

「不要緊，應該只是喝多了。」他低頭喚了女孩幾聲：「紀唯，妳還可以嗎？要不要喝點水？」

「我喝不下，頭好暈也好熱，整張臉都在燒……」

「你們一口氣喝這麼多，當然會不舒服。」方佑霆進到浴室，將紀唯先前留下的毛巾沾溼，回到她身邊，輕輕把冰毛巾蓋在她額上，「有沒有好一點？」

「嗯。」紀唯應聲，眼睛仍牢牢緊閉，「可惡，有好多星星，好多孟克……」

「孟克？」

「就是畫《吶喊》的那個人。我現在就跟畫裡頭的那個人一樣，覺得好亂、好暈，一直轉圈圈轉個不停……」

「是喔？」他莞爾。

「還有黑桃二……我明明有黑桃二，居然還輸給孟克……不對，不是孟克，是沈佑嘉……」

他被女孩逗笑了，尤其聽到她開始語無倫次，更是笑得肩膀不停抖動。

他一臉開心的樣子，讓宋邵媛不禁多看了幾眼。

時間差不多了，宋邵媛也差不多要回去。

方佑霆送宋邵媛到樓下，只見對方用若有所思的眼神盯著自己，「怎麼了？我臉上有東西？」

「沒有，只是覺得很懷念。我已經很久沒看你像剛才那樣笑，彷彿回到以前的你。」見他神情納悶，她莞爾，「你和你繼妹相處的時候，感覺很快樂，你沒發現嗎？」

他語塞，不動聲色地回：「有嗎?很普通吧？」

「當然有，連我都感覺得出你們感情很好，跟我上次回來相比，你變了不少。這樣我就放心了。」她拍拍他手臂，「下次再把她介紹給我認識吧！」

宋邵媛離開後，方佑霆回到屋裡。

紀唯似乎好多了，方佑霆走過去坐到她身旁，「好一點了嗎？」

「嗯。」她點點頭，拿下退熱的毛巾，「大哥，剛才那個女生是你的高中同學，對不對？」她伸手指著放在電視機旁的照片。

他看一眼照片，「是啊。」

「她是你的初戀嗎？」發現他面露訝異，她訥訥說：「我之前有聽大師說過，就在猜會不會是她……」

方佑霆沒回應，紀唯便認爲他是默認了。

不確定是不是酒精的催化，她並沒有就此打住，繼續說出心裡最好奇的問題：

「大哥還喜歡她嗎？」

對上女孩澄澈的眼睛，方佑霆再度沉默，一時半刻沒有移開視線。

「我很久沒看你像剛才那樣笑，彷彿回到以前的你。」

許久，他都沒有回答女孩這個問題。

★

度過一個愉快的春節，大家都回到了原來的生活步調。

紀唯和方佑霆每天與課業和工作為伍，而考完學測的沈佑嘉，在等成績出來的這段時間過得相當悠哉。紀唯與他朝夕相處，從沒在他身上感受到考生的緊張感。

學測成績公布，沈佑嘉拿到七十二級分。見他天天在房裡打電玩，還能拿到高分，紀唯忍不住大喊「天理不公」！

沈佑嘉最後申請上台北的大學，並打算繼續住在家裡。無事一身輕的他，每天都過得無比逍遙，除了跟同學出去玩，也常拉著紀唯去找方佑霆。

即將成為高三生的紀唯，對逍遙自在的沈佑嘉既羨慕又嫉妒，她絕對無法像他這麼快活。

「任紀唯，放心啦。我可以教妳功課，讓妳考上理想的大學！」沈佑嘉拍胸脯掛保證。

只有在這個時候，她才不得不承認他算是挺可靠的。

兩人即將進入另一個重要階段，方佑霆的生活反而沒什麼太大的變化。他依舊天天與一堆待修的汽車爲伍，天天戴著沾有黑色機油的手套工作，每天聽龍哥說要介紹正妹給他認識，然後天天被周一銘及大熊用白眼狠瞪。

從十七歲到十八歲，跟從二十七歲到二十八歲，明明一樣多了一歲，意義卻有很大的不同。前者看似在快速蛻變，後者卻像時間暫停，沒有明顯變化。

因此當宋邵媛說方佑霆變了，他其實有些疑惑。眞要說的話，他的生活因爲紀唯跟沈佑嘉的出現，變得比從前熱鬧，其他並無不同。但他也沒有認眞去深思，更沒放在心上。

至少以現在來說，他不認爲自己眞有什麼變化。

週六上午，大師跟方佑霆兩人站在修車廠旁的空地，愣愣地看著被棄置在輪胎旁，足以躺下四人的大型彈簧床。床上還有破舊的羽絨棉被跟枕頭，看起來已經使用許多年。

「這是不是太誇張了？」大師一臉匪夷所思，「丟這些東西的傢伙，當我們這裡是資源回收場嗎？」

沈佑霆笑著道：「我比較好奇對方是怎麼搬過來的？這麼大的床，沒卡車的話根本沒辦法載吧？」

「只好請人來處理了，不然一張破床擺在這多難看？」

「是啊。」手機響起，方佑霆很快接聽，「喂？邵媛，怎麼了？」

半晌後，他回應：「我知道了，我下班後再聯絡妳。」

他一放下手機，大師就問：「初戀打來的？」

「別再這樣叫她了啦。」方佑霆失笑，「我明明什麼都沒說，你又知道她是我初戀了？」

「不然呢？你確實是喜歡過人家吧？你以為我這四十年是白混的？想瞞我，你還太嫩了。」他問：「她找你有事？」

「嗯，她今天要去醫院看他父親，約我下班後見面。」

「她回來後，你們相聚的時間也變多了吧？」

他挑眉，「你想說什麼？」

「沒什麼，既然龍哥介紹的女生你都看不上，那就只能把寄望放在你的初戀身上了。」

方佑霆啞然失笑，拍拍對方的肩，「大師，我知道你關心我，骨子裡也浪漫多情，但我應該還沒慘到讓身旁的人擔心，是吧？」

「你啊，是個怪胎，太讓人捉摸不定，像隻鳥一樣怎麼追也追不上，要擔心也輪不到你，我是在替那些曾經喜歡你的女生默哀。」

「鳥？我有這樣嗎？」

「沒有嗎？」大師睨他一眼，「不然從以前到現在，有哪個女生曾眞正捉到你？」

方佑霆無語，頓時不曉得怎麼回應。

「大哥！」

兩人站在原地，不久後，一聲叫喚傳來。

看見紀唯站在後方不遠處，方佑霆唇邊漾起笑意。

女孩旋即朝他快速奔去，兩人距離逐漸拉近，但紀唯沒減速，反而衝得更快。

方佑霆反應不及，整個人被撲倒在彈簧床的羽絨被上，如棉絮般的白羽毛竄飛而出，飄散在空中。

「我捉到你了！」紀唯抱著他，開心大喊。

來自左心房的劇烈撼動，讓方佑霆瞬間呼吸一窒。

穿著白色春裝的女孩，臉上帶著耀眼笑容，與雪白羽毛同時映入眼簾，讓他動彈不得，腦海空白。

女孩離開的那一刻，她的擁抱和清香，彷彿還烙印在他身上，久久消散不去。

大師靜靜看著他們，唇角一揚，「小妹來了？」

「對呀！」紀唯嘿嘿笑，回頭朝另一個人揮手，「熊哥，我贏了！」

大熊姍姍來遲，哀號著抱頭扼腕，「搞屁啊？原來阿霆在這裡，害我還跑去廁所堵人！」

「你們在幹麼？」大師問。

「我跟大熊哥打賭，誰先捉到大哥誰就獲勝，輸的人要請對方喝十次飲料。」

「那幸好我們小妹贏了，若大熊先找到人，阿霆八成已經被壓死了。」大師笑得眼睛彎彎。

紀唯這時才注意到方佑霆倒在床上，她歉然道：「對不起大哥，我看到你太激動了，忍不住朝你衝過來，我有弄痛你嗎？」

「沒有，沒關係。」他坐起身，扯扯嘴角，卻下意識避開女孩的視線。

「哇靠，這張床是幹麼用的？」大熊走來，有些傻眼地問。

「應該是昨晚有人隨便丟棄在這裡的。大熊，你幫我把床移開，然後等一下聯絡清潔隊，跟他們預約時間來收，不然繼續放在這裡很不雅觀。」大師說完，就跟大熊兩人一起把床移到別處。

紀唯的注意力回到方佑霆身上，注意到他神情有異，不禁問：「大哥，你怎麼了？」

「嗯？我沒事。」他搖搖頭，語氣自然地說：「紀唯，我先回店裡處理一點事，等等再過來找妳。」語畢，他轉身離開。

進修車廠前，方佑霆停下腳步，回頭往空地看，紀唯正開心地跟大師和大熊說話。

「我捉到你了！」

思緒和呼吸變得紊亂的這一刻，方才那股強烈悸動還殘留在他的心中。

「你和你繼妹相處的時候，感覺很快樂，你沒發現嗎？」

方佑霆呆滯良久，忍不住爲這荒謬的結論嘲笑自己，嘴角卻在揚起後漸漸僵住，他再也笑不出來。

從以前到現在，他始終不認爲自己有什麼變化。

很多心情、很多感覺，早在那十年間就被淡忘掉了。

在紀唯出現在他生命裡以前……

Chapter 9

「佑霆，這裡！」

一週後的某個晚上，方佑霆與宋邵媛約在醫院附近的露天咖啡館見面。

宋邵媛的臉色略顯疲憊，他關心地問：「怎麼氣色這麼差？」

「還好啦，這陣子工作比較忙，又常往醫院跑，有點吃不消。」她聳聳肩，「抱歉，又在你下班時把你抓來，小妹沒有不高興吧？」

「沒有啊，爲什麼這麼問？」

「你小妹週末不是都會去找你？我把她親愛的哥哥給搶走了，難道她不會生氣？」她打趣。

「她也要忙活動跟考試，沒辦法常來，而且她不可能會爲這種事生氣。」

「你確定？」

「百分之百確定。我了解她的個性，她不但不會生氣，還會叫我們好好聊。」

他翻著手中的菜單。

「聽起來是個體貼的女孩。」

「嗯，她很懂事。」

「所以你才會讓她待在你身邊？」對方抬眸，她對上他的眼，笑了笑，「你從前就愛當孤獨一匹狼，不太容易親近人，聽你這樣讚美對方，看來『紀唯小妹』對你來說意義非凡喔。」

他茫然，失笑，「最近怎麼常有人用動物形容我？」

「是嗎？對了，以前敬華也總說你是隻貓。」

「還有人說我像鳥呢。」

「鳥……」她沉吟一會兒，「我也覺得這個形容比較適合你。」

「爲什麼？」

「有時你給我的感覺就像鳥一樣，捉也捉不住，只要靠近就會不著痕跡地飛走，貓至少偶爾還肯給人摸。」

「有這麼誇張嗎？」

「我覺得是呀。」她輕輕嘆息，「所以就算認識你這麼久……我還是覺得自己沒有很了解你。」

「妳想太多了。」

宋邵媛忽而若有所思，「若我沒有決定留學，或許現在也能跟敬華一樣了解你了吧？」

「幹麼突然這麼說？」

「不知道。」她俏皮一笑，「可能我有點羨慕你的小妹吧！」

他沒回應，目光瞥見她脖子上的項鍊，項鍊上掛著一枚銀色戒指——十年前范敬華送給她的求婚戒。

隱隱感覺到宋邵媛心情低落，他說：「有什麼事就告訴我，需要幫忙也儘管跟我說。老朋友了，不需要客氣，無論何時我都會在。」

宋邵媛笑得眼睛彎彎，「謝謝你。」

兩人分別時，已經過了九點。

方佑霆走在街上，抬頭看了眼黑壓壓的夜空，一顆星星也沒有。

口袋裡的手機響起鈴聲，他拿出手機，看見來電顯示，立刻接聽，「喂？」

「大哥，你還沒回家呀？」電話那頭傳來車子呼嘯而過的聲音，女孩確定他還在外面。

「現在正要回去。」他聲音溫柔，「有什麼事嗎？」

「沒什麼事啦，我讀書讀累了，趁休息的時候看看大哥在幹麼。」她笑笑，「你今天跟邵媛姐見面嗎？」

「是啊。」

「像大哥跟邵媛姐這樣，我覺得很棒。有個認識十幾年的朋友，感情還能這麼好，眞是不簡單。」

「妳以後也會有的。」他邊走邊說：「現在找到了嗎？」

「找到什麼？」

「妳不是說過，希望能有一個堅強有自信，就算大吵一架，也不會影響彼此情誼，願意站在妳這邊的朋友？找到這樣的人了嗎？」

紀唯停頓幾秒才開口：「應該找到了吧。」

「眞的？」

「嗯，我轉班之後，跟一個女生越走越近。之前我們還互看不順眼呢！但後來我發現，我們的想法跟價值觀都很像。最重要的是，跟她相處的時候，我不用再擔心自己是不是又說錯什麼話，傷到對方卻不自知。我們都能坦率表達心裡的想法，偶爾的鬥嘴，也讓我們更了解彼此。」

「那太好了。」

「對呀，一定是因爲有大哥幫我祈禱。在那時，大哥眞的是我的心靈支柱。」

他忍俊不禁，「我什麼都沒做啊。」

「才沒這回事，在我覺得自己被所有人拋棄的時候，是你的鼓勵跟陪伴拯救了我。如果沒有大哥，我一定已經自暴自棄，誰都不相信了。」

女孩認眞地說下去：「是大哥讓我相信，我可以擁有眞正適合我的朋友。愛情也是，我相信會有一個更適合我的對象，出現在我身邊！」

聞言，方佑霆的步伐慢下，最後停下。

「我一定會找到一個更棒的男朋友。」紀唯語帶笑意，「到時候，我第一個就讓大哥鑑定！」

他拿著手機不動，「妳眞的願意讓我鑑定？」

「當然，大哥的眼光絕不會錯！」她笑呵呵，語氣眞摯，「我也希望大哥能快點找到可以填補你心中遺憾，讓你有勇氣再回到那座山上，並且願意陪你等待流星的人。所以這次換我幫你祈禱，期盼帶給你幸福的人，能夠早日出現在你面前。只要大哥幸福快樂，我也會幸福快樂的！」

眼眶漸漸灼熱，方佑霆的胸口跟著揪緊。

占據心房的濃烈情緒，讓他分不清自己此刻究竟是悲傷還是快樂，整顆心被填得滿滿的，到了令他難受的地步。

曾經有過的悸動與心痛，如今他再次親身體會，只因爲這個親口對他說希望他能幸福快樂的女孩。

那個不知何時走進他的心，第一次想用生命去珍惜呵護的女孩……

「謝謝。」一滴眼淚滑下他的臉龐，「大哥也相信，會有一個眞正適合妳的人，出現在妳面前。」

雖然看不見女孩的臉，但他知道她一定在微笑。

「紀唯。」

「什麼事？大哥。」

「我想告訴妳，我已經很幸福了，其實不用等到那時候。」

「眞的？爲什麼？」

「因爲有紀唯在。」

他什麼都不奢求。

就算這是一段不能說出口的感情，就算要聽她叫他一輩子的「大哥」，就算有天會親眼看她愛上別人……他也甘之如飴。

因爲這女孩早就把這世上最美好的一切全給了他。

哪怕心在疼痛，他仍不禁爲這一秒的幸福而笑。

他很感激，感謝這個女孩出現在他的生命裡。

放下手機後，紀唯坐在書桌前盯著螢幕看了一會兒，遲遲未從方佑霆的話語中回過神。

「我已經很幸福了，其實不用等到那時候。」

「因爲有紀唯在。」

回味著這些話，紀唯內心感動不已，雙頰沒由來地微微一熱。喜悅填滿胸口，她的唇邊漾起笑意。

★

「咦？小妹今天怎麼有空來？妳最近不是有考試嗎？」看見紀唯提著滿滿一袋的飲料走進修車廠，龍哥意外地問。

「昨天就考完了啦！今天上午在學校讀了半天書，想來這裡放鬆心情。但就算段考結束了，也還是一樣每天在考試，好累喔！」

「畢竟小妹也高三了嘛，一定會比較辛苦。」他笑笑。

紀唯成為高三生後，到修車廠的頻率比過去低了些，但至少兩週會去一次。分了分飲料，紀唯四處張望，「大哥呢？」

「他出去了，等等就會回來。」大熊忽然竊笑，「妳大哥最近很忙，有一位貴婦常指名他修車。剛剛她又打來跟阿霆求救，說車子在半路上拋錨！」

「所以大哥去幫她修車了？」

周一銘搖搖頭，「想也知道她是故意製造機會跟妳大哥相處，才把他騙出去，哪有車子一天到晚壞掉的？聽說那女人四十幾歲，沒想到會看上阿霆。大師，我記得她是你朋友介紹來的，對不對？」

「是啊，她幾個月前離婚，前夫是某家電子公司的董事長，光是贍養費就有好幾億了。」大師說。

「哇，那阿霆臉皮若厚一點，將來就可以少奮鬥好幾年了！」他們大笑。

紀唯笑了笑，說要去洗手間一趟，回來後，方佑霆也回修車廠了。

「怎樣？阿霆，她車子眞的拋錨了嗎？」大熊問。

方佑霆無奈搖頭，「雨刷壞掉。」

「哈哈哈，什麼鬼？就爲了雨刷把你叫到外面去？她還有跟你說什麼嗎？」

他神情尷尬，「她找我晚上吃飯。」

「那你有答應嗎？」周一銘問。

「怎麼可能？」

龍哥嘆道：「唉，就叫你趕快找一個女朋友，你偏不聽。明天龍哥直接帶幾個正妹過來，讓你好好……」

「龍哥，你太偏心了！爲什麼每次都只介紹正妹給阿霆？不公平啦！」

二人再度放聲抗議，大師抽著菸說：「龍哥，不用再幫阿霆找對象了。」

「爲什麼？」

「他已經心有所屬，你找再多都是白費力氣。」

此話一出，所有人都訝異，包括方佑霆。

龍哥意外地問：「阿霆有喜歡的人了？」

「什麼？我有沒有聽錯？木頭阿霆居然戀愛了？對方是誰？」周一銘圈住方佑霆的脖子，逼他招供。

「大師，該不會是你以前說過的那位初戀吧？」大熊馬上猜。

他聳聳肩，笑得神祕兮兮。

就在方佑霆被同事糾纏，一道身影冷不防映進他的眼簾。

「這是眞的嗎？」從洗手間回來的紀唯，驚訝地看著他，「大哥有喜歡的女生了？」

沒料到紀唯在這裡，方佑霆一時腦袋當機，生硬澄清，「沒這回事，你們別聽大師亂說！」

「承認又不會死，快點講，是不是就是你那個高中同學？」大熊仍沒放過他。

「還是別的女生，快招！」

一群男人玩鬧到客人上門，才停止追問八卦。

方佑霆下班後，帶紀唯去逛夜市。

看她津津有味地吃著棉花糖，方佑霆問：「考完段考有稍微輕鬆點嗎？」

「完全沒有，下個月又有一個模擬考。我現在連睡覺都會夢到在寫考卷，腦袋快被烤焦了。」

他呵呵笑，「佑嘉最近在幹麼？」

「忙著玩呀！上大學後，他幾乎天天都有活動，不是跑去露營，就是參加社團，超逍遙的！」

「沒關係，等妳考上大學，不就也能像他一樣了？若讀書讀累了，假日就好好在家休息，不必特地過來送飲料給我們。」

「你放心，我沒有勉強自己，我來這裡就是爲了好好喘一口氣。不過，我若給你們添麻煩了，大哥一定要老實跟我說唷！」

「怎麼會？妳之前光是三週沒來，大熊他們就已經孤單得哇哇叫了，不可能會嫌妳麻煩。」

紀唯放心地笑了，接著問：「大哥，你後天下班有空嗎？」

「怎麼了？」

「其實那天……」

還沒說完，方佑霆的手機響起，打斷了紀唯接下來的話。

他接聽後，臉色微微一變，很快就結束通話。

「抱歉，紀唯，我要去醫院一趟。」他神色嚴肅，「我們先去醫院，我再載妳回家，好嗎？」

「好。」雖然不知道發生什麼事，她還是立刻跟著他離開夜市。

兩人抵達醫院後，方佑霆先到櫃檯詢問，然後快步奔向別處。

在某間病房門口看見一道身影，他馬上喚：「邵媛！」

瞥見方佑霆跑來，宋邵媛馬上從候診椅上站起身，緊張的神情頓時放鬆。

「妳還好嗎？妳爸現在怎麼樣？」

「醫生說……情況不太樂觀。」她面色蒼白，眼淚頓時落下，發出輕微的啜泣聲，「兩個小時前，他忽然昏過去……我已經通知我姊，但還不敢告訴我媽，她早上才從醫院回去，我怕她會受到刺激。」

方佑霆伸手擁住全身顫抖的她，溫聲安撫，「別擔心，妳爸不會有事的，我陪妳留在這裡。這幾天下班後，我也會過來陪妳。不要怕，有我在。」

宋邵媛點點頭，在他懷裡靜靜哭泣。

紀唯在附近看著這一幕，默默轉身離開。

這時，手機響了，方佑霆拿出一看，紀唯傳了訊息給他。

「大哥，你陪著邵媛姐吧，我自己回去就好。」

「到家後我會跟你說，不用擔心。」

他匆匆回頭，這才發現女孩已經離開了。

無奈之下，他收起手機，跟著宋邵媛一起到病房裡。

走在回家路上的紀唯，經過一間商店，目光被櫥窗裡的東西吸引——一隻跟人一樣巨大的熊娃娃，脖子上繫著紅色蝴蝶結，十分可愛。

站在櫥窗前凝視著乖乖坐著的娃娃，她的腦海不知為何浮現出那兩人擁抱的畫面。

「這幾天下班後，我也會過來陪妳。」

她不禁嘆息，心想這也是沒辦法的事。然而，她從玻璃倒影中看見自己的臉，又陷入深深的惆悵。

「欸，任紀唯。」她對著那張臉輕聲問：「妳到底在失落什麼啊？」

他們是高中時代的好友，摯友的家人發生這麼嚴重的事，他會陪在她身邊支持對方，是再正常不過的事。

但為什麼看到他們擁抱在一起，再聽到方佑霆對她說那些話，她的心情會如此低落，整個人都提不起勁？

這份鬱悶來得莫名其妙，連她都百思不解。

「不要怕，有我在。」

她忍不住嘲笑自己，就算是戀兄情結，也該有個限度吧？

★

「任紀唯，今天是妳生日，妳要怎麼過？」在教室裡，何詩詩玩著手機，頭也不抬地問。

「隨便吧。」紀唯趴在桌上，懶洋洋地回。

「什麼隨便？妳家人有要幫妳慶生嗎？」

「他們剛好都要工作，沈佑嘉好像也跟大學同學有約。」

「是喔？那放學後要不要去看電影？我請妳。」

「眞的假的？」

「當然是眞的，最近有滿多我有興趣的新片上檔，一起去看啦！」

「好啊。」紀唯答應了。

這天，方佑霆下了班直接從修車廠到醫院。

在病房外，宋邵媛告訴他，她打算暫時中止在補習班的工作，專心照顧生病的家人。

「也好，不然妳兩邊跑太操勞了，身體會吃不消。」方佑霆支持她的決定。

「嗯，我媽本來不同意，但她的身體也不好，所以我堅持這麼做。」她苦澀一笑，「我爸一直很疼我，幾乎沒對我發過脾氣，不管我做什麼，他都無條件支持我。當我知道，我出國的那幾年，他一直刻意瞞我身體出狀況的事，我真的很心疼，非常難過。我現在每天都在害怕，要是我爸就這麼離開怎麼辦？」

「不會的，妳別往壞處想。」他握住她冰冷的手。

宋邵媛雙眼通紅，慢慢回握。

「佑霆，你知道嗎？十年過去了，想起以前的事，我的心還是會隱隱作痛。」她聲音沙啞，「也不知道爲什麼，自從我爸住院，我就更常想起敬華。有時會想，他眞狡猾，我們都長大了，他卻還是十七歲的模樣。有時我甚至還會有想回到過去的念頭，很傻吧？」

方佑霆沒有回應，沉默著聽她說。

「幸好你還在。」淚水淌下，她感激道：「謝謝你還在這裡，佑霆。」

「我不是說過了嗎？無論何時我都會在。」

宋邵媛對他揚起一抹笑，將頭靠在他肩上，安心地闔上眼睛。

離開醫院後，方佑霆沒有馬上回去。他靜靜地坐在門口的椅子上，接起作響的手機。

「哥，你在幹麼？」沈佑嘉問。

「我在外面……辦點事，怎麼了？」

「沒有啦，我想問，你跟任紀唯還在一起嗎？」

「紀唯？爲什麼這麼問？」

「你今天不是跟她去看電影？」

「沒有啊，我們沒碰面。」

「咦？可是她傳訊息跟我說要去信義威秀看電影，叫我跟阿姨說一聲。我以爲她是跟你去。」沈佑嘉訝然，「奇怪，不是跟哥的話，那她是跟誰去了？」

「你打給她了嗎？」

「打了，但她沒接，可能還在看電影吧？虧我還提早帶生日蛋糕回來給她呢。」

「生日蛋糕？」

「你不知道？今天是任紀唯的生日，她沒跟你說嗎？」

方佑霆呆住了，想起女孩上週六在夜市問他的話。

「大哥，你後天下班有空嗎？」

還來不及思考，身體就先做出反應，方佑霆奔去停車場，跨上機車離開醫院。

前往電影院的這一段路程，他心中沒有一絲遲疑與猶豫，只有想立刻見到女孩的渴望，想到連心都在疼痛。

「這片子超長，我的屁股快坐麻了！」走出電影院，何詩詩用力伸展四肢。

「不過挺好看的耶，會想要二刷。」紀唯拿出手機，發現有好幾通未接來電跟訊息。

讀完其中一條訊息，她猛然停下腳步。

「何詩詩，我有急事要去附近，沒辦法跟妳回去了！」

「是喔？那我們就在這邊分開吧，我去搭公車。明天見啦。」

「明天見。謝謝妳請我看電影！」

兩人道別後，紀唯往訊息指示的地點奔去。

抵達捷運站，她在附近的停車區找了一會兒，很快便發現坐在機車上的某道身影。

「大哥！」

方佑霆一轉頭就看見背著書包的女孩直直朝他跑來，這一刻起，他的目光就再沒從對方身上離開。

「大哥，你怎麼知道我在這？你不是在醫院陪邵媛姐嗎？」

「我剛剛才離開醫院。」他輕描淡寫地回：「我聽佑嘉說妳來看電影，今天還是妳的生日。」

聞言，紀唯瞪大雙眼，「所以你專程騎了那麼遠來找我？」

這次他沒回應，拿出一包東西到她面前。

「這是給妳的生日禮物，我在附近買的。大哥不太會挑禮物，不知道妳喜不喜歡。很抱歉，沒辦法陪妳過生日。」

紀唯接過禮物，當場拆開，是一隻格子圖案的小熊布偶，脖子還綁著粉紅色蝴蝶結，與她曾在商店櫥窗裡看見的布偶款式類似。

「十八歲生日快樂，紀唯。」

迎上方佑霆的笑顏，紀唯呆若木雞，久久說不出話。

先前空落落的心，在這一刻被瞬間被填滿，她喉嚨一緊，感動不已。

「大哥，謝謝你，我超喜歡。」

「太好了。」

「邵媛姐她好嗎？」

語落，方佑霆驀然沉默，她小心翼翼地再提問：「她爸爸的狀況還是不樂觀？」

「嗯，所以她的情緒有點不穩定，我得陪在她身邊，沒辦法常陪妳了。」

「沒關係啦，我的事不重要，你好好陪邵媛姐，她現在一定很需要你。不過，你的臉色似乎不太好。」她注視著他黯淡的神色，「邵媛姐的事讓你很擔心吧？」

還沒有開口回應，方佑霆就被一股暖意包圍住。

「大哥，你很累吧？」紀唯輕輕擁著他，溫柔拍他的背，鼓勵道：「你要保重身體，不要生病。雖然我幫不上忙，但當你在邵媛姐身邊支持她時，我也會支持你。」

「我會在大哥這一邊的。」她堅定地承諾。

在女孩溫暖柔軟的臂彎裡，方佑霆動也不動，闔上眼睛，忍住想緊緊回擁她的衝動。

「有時我甚至還會有想回到過去的念頭，很傻吧？」

「我會在大哥這一邊的。」

無論是過去還是現在，此刻的他什麼都不寄望，也什麼都不想去思考。

只想讓時間永遠停留在這一刻。

「佑霆，有空把你小妹帶來吧。」

在醫院附屬的餐廳，宋邵媛提議。

他不解，「爲什麼？」

「這陣子老是占用你的時間，害得你們兄妹倆沒時間相聚，我覺得很過意不去。而且我早就想見見她啦！」她催促，「直接約醫院不太好，就約附近的那間義大利餐廳，好不好？」

「好啦，我會幫妳邀她。」答應對方後，他看著她的餐點，擰眉，「妳怎麼吃得這麼少？再多吃一點啊。」

「我沒什麼食欲。」她微笑放下餐具，「我們走吧。」

兩人回病房的途中，方佑霆停下腳步，嚴肅地說：「不行，妳剛才幾乎沒吃，妳先回病房，我再去幫妳買一點食物。」他轉身要走。

「佑霆，不用了啦，我……」還沒說完，宋邵媛當場昏倒在地。

方佑霆一驚，衝向她，「邵媛！」

她徹底失去意識，方佑霆馬上奔去找護理師。

宋邵媛醒來，發現自己躺在病床上，方佑霆也在她身邊。

「醒了？有沒有哪裡不舒服？」

「佑霆，我怎麼了？」她一時還弄不清狀況。

「醫生說，妳壓力太大引起食欲不振，加上嚴重睡眠不足，所以才會昏倒。」

「天啊，對不起，給你添麻煩了。」她掩面。

「知道給我添麻煩，就從現在起聽話一點。妳這固執個性真是從以前到現在都沒變。」他幫她把病床前端調高，接著從袋子裡端出一碗東西，「我幫妳買了一碗粥，吃吧。」

「可是我……」

「沒有可是。」他用湯匙舀起一瓢，吹了幾口，湊近她嘴邊，「有點燙，小心吃。」

宋邵媛嚥下粥，噗哧一聲，「有男生餵我吃飯，我覺得好害羞。」

「無聊。」他輕哂。

「唷？以前的沈佑霆回來囉，居然說我無聊？」

他看著她一會，「她今天會來。」

「誰？」

「紀唯，妳不是想見她？我剛才已經聯絡她，她答應放學後過來。」

「什麼？怎麼可以在我這副模樣的時候叫小妹來，你存心想看我出糗嗎？」她大驚。

「對，我就是要讓妳出糗，誰叫妳講不聽，把自己弄成這個樣子。」

「眞過分。」她噘著嘴，目光落在他的脖頸處，「我之前就想問你，爲什麼突然戴項鍊？不太像你的風格。」她好奇地問。

方佑霆一頓，淡淡回：「有人暫時寄放在我這裡的。」

「寄放？有問題，是哪個女人的？」她揚起曖昧的笑容。

「少八卦，快點吃粥。」他又舀一匙到她面前。

紀唯放學後，帶了探病禮物來見宋邵媛。兩個女生一見如故，聊得相當投緣，爲病房增添不少歡笑聲。

「紀唯，跟妳說一個祕密，妳大哥高中的時候，很受學妹歡迎。」

「眞的？」紀唯眨眨眼。

「眞的，可是妳大哥超跩，都看不上她們。而且他還很喜歡搞失蹤，會在上課時間跑去頂樓跟圖書館睡覺，因此老被教官盯！」

「宋邵媛，妳幹麼一直說我壞話？」

「怎麼了？我有說錯嗎？」她挑眉。

「沒有，妳說得都對。妳們慢慢聊，我去買點東西。」

方佑霆一臉無奈地離開病房，兩個女生又笑了起來。

「紀唯現在高三，課業應該更繁重了吧？」

「對呀，每天都有考不完的試，壓力好大喔！」

「沒錯，我也是這樣，壓力大到快抓狂。」她笑吟吟，「妳有男朋友嗎？」

「目前沒有，邵媛姐呢？」

「我也沒有，我在國外交過兩任，都無疾而終。」她嘆息，「對我來說最難忘懷的，果然還是第一任吧。」

「妳是說在國外交的？」

「不，我第一任是高中時交的，他是妳大哥最好的朋友，以前我們三人幾乎天天在一起！」

紀唯愣了幾秒鐘，小心翼翼探問：「那……那個人現在在哪呢？」

「他過世了，他在高二時出了車禍。」她臉上的笑一僵，掏出脖子上的戒指項鍊，「這是他高中時送我的求婚禮物，我一直戴著，至今都捨不得脫掉。偷偷跟妳說，我之前的兩任男友，就是因為不能接受我把第一任男友送的東西當寶貝戴在身上，才會跟我分手。」

看著項鍊上的那枚戒指，紀唯一時說不出話。

她恍然大悟，原來大哥從前愛上的，是最好朋友的女友。

這十年來，他都對好友的死耿耿於懷，那在面對邵媛姐時，他必定也是相當難受的吧？

看到邵媛姐仍將這枚戒指放在身上，大哥會是什麼心情？

大師說，大哥已經有了喜歡的對象，那人還是邵媛姐嗎？

如果不是，那會是誰？那個人有讓大哥感到幸福嗎？

無數的疑問占據紀唯的心，即使方佑霆就在面前，紀唯百感交集，一個字都問不出。

宋邵媛原以爲很快就能恢復體力，可以早日下床照顧父親，孰料她又染上感冒，需要更多時間休息。

突如其來的壞消息，讓她感到十分沮喪，多虧了方佑霆，她才能度過這一段辛苦的時日。

在淅瀝瀝的雨聲中，宋邵媛睜開眼睛，一眼就看見方佑霆坐在病床旁的椅子上熟睡著。

望著他的睡顏，宋邵媛動起惡作劇的念頭。她悄悄靠近，看見對方動了一下，馬上躺回床上。

方佑霆睜開眼睛，看見她醒了，伸手覆蓋在她額上，「很好，退燒了。」

他納悶地盯著她，「妳在笑什麼？」

「我哪有笑？」她拉起棉被，遮住翹起的唇角。

「我去幫妳買點東西，想吃什麼？」

「我想吃醫院對面麵包店賣的麵包，我餓了，可不可以幫我多買一點？」

「好。」

十分鐘後，方佑霆拎著一袋滿滿的麵包回來，全是宋邵媛愛吃的口味。

他們邊吃邊聊天，這時，宋邵媛冷不防地問：「佑霆，你的項鍊呢？怎麼不見了？」

聞言，方佑霆伸手摸向脖子，真的空無一物，平靜的面容倏地大變。

他四處張望，從病房裡找到走廊。

他對宋邵媛說：「我去外頭找找，可能是買東西的時候不小心掉了！」

「可是外面在下大雨啊！」她嚇一跳。

「沒關係，我很快就回來。」

「不行啦，等雨停後再去找吧，你這樣跑出去淋雨會感冒——」

「那無所謂，找到項鍊比較重要！」他脫口而出，白著臉喃喃自語：「那不能掉……絕對不能弄掉！」

方佑霆離開後，宋邵媛愣在原地。這是她第一次看見對方失去冷靜的樣子。

知道自己闖禍了，她急著打給方佑霆說出眞相，沒想到他卻把手機留在病房內，於是宋邵媛打算去找他。

這時，紀唯出現了。

「邵媛姐，妳要去哪裡？」她好奇地問。

「紀唯，妳來得正好，妳有看見妳大哥嗎？」

「沒有，怎麼了？」

「我剛剛對他惡作劇，趁他打瞌睡時偷偷拿走他的東西，沒想到他衝去外頭找，連傘都不帶。」

「是什麼東西呀？」

「就是這個。」宋邵媛拿出蛋白石項鍊，滿臉懊惱，「我沒想到這條項鍊對他這麼重要。怎麼辦才好？玩笑開過頭了。」

見女孩表情有異，她問：「怎麼了？」

「喔，這條項鍊……其實是我給大哥的。」紀唯尷尬一笑。

「什麼？這是紀唯妳的？」

「對，我現在就去找大哥，跟他說東西找到了，妳別擔心！」

紀唯收走項鍊，放下書包後就往門口跑，留下一臉怔忡的宋邵媛。

跑到一樓，紀唯正要去外頭找人，就看見方佑霆走進來。

「大哥！」她邊跑邊喊。

被雨淋得溼透的他，看到紀唯先是一怔，緊接著說：「抱歉，紀唯，妳先去病房，我要找個東西——」

「大哥，等等，東西找到了！」她抓住他的手，把項鍊拿給他看，「我的項鍊在這裡，沒有不見！」

他瞪大雙目，不敢置信地啞聲問：「怎、怎麼會？」

「哦……這是邵媛姐剛剛找到的，它掉在病床底下，給你！」

方佑霆接過項鍊，整個人鬆一口氣，近乎虛脫。

「大哥，你都淋溼了，怎麼連傘都不帶就跑出去啦？」紀唯心急。

「我沒想那麼多。」他失笑，「對不起，沒有保管好妳的項鍊。」

「沒關係，我不會生氣的。但你眞的太衝動，這樣很容易感冒，等雨停再去找就好了嘛！」

「那怎麼行？要是不小心被撿走或踩壞，那怎麼辦？」他投向她的眼神一片笑意，「這是妳重要的寶貝不是嗎？妳把它交給我，我當然也要用心珍惜才行。」

語落，他認眞觀察項鍊的接口兩端，納悶嘀咕：「看起來沒壞，爲什麼會掉？」

紀唯被方佑霆的那番話深深打動，呆住不動，無法用言語形容此刻的心情。

她怎樣也沒想到，自己珍視的東西，對方會同樣珍視到這個地步。

他如此不顧一切的舉動，讓她清楚意識到，她的心意被對方放在無比重要的位置。

紀唯不禁感動得微微鼻酸，甚至有些想哭。對妹妹就如此珍惜了，倘若是對待心儀的女生，他又會有多呵護呢？

有一瞬間，紀唯發現自己竟羨慕著能被大哥喜歡上的人。

★

兩天後，康復的宋邵媛出院了。

方佑霆看著桌上的兩件行李袋，「整理好了？」

「嗯。」

「妳爸昨天已經轉回普通病房，應該沒什麼大礙，妳可以放輕鬆點了。」

「是啊。」她甜笑，「不好意思，這幾天讓你請假來陪我。」

「覺得對不起我，就把身體照顧好，別給自己太大的壓力。」他唇角上揚，提起行李，「走吧，我送妳回去。」

「佑霆。」

「嗯？」

「你愛上小妹了嗎？」

他腳步停下，唇邊笑意瞬間凝結，回頭迎上宋邵媛平靜的視線。

「你愛上紀唯了，對吧？」

他微微張口，說不出話。

「看到你這麼珍惜她給你的項鍊，我就知道了。」她目光不動，「你打算怎麼做？只在一旁默默守著她嗎？」

方佑霆喉嚨一片乾澀，擠出微笑，「妳在胡說什麼？我怎麼可能——」

「你從以前就是這樣，總以爲可以藏得很好，誰都不會發現。」她走到他面前，緩緩說道：「高中的時候，我其實就已經知道你喜歡我。當然，也只有我一人知道。」

方佑霆僵硬不動，別過頭，「走吧，馬上就有人來清了。」

然而，宋邵媛緊緊抓住他的手，不讓他走。

方佑霆深呼吸，不得不回頭對上她的眼，「那已經是過去的事，很早以前就結束了。」

「多早以前？」

「敬華死去的那天。那時我就讓一切結束了。」他沉聲道：「別說這個了，我們——」

「誠實回答我一個問題！」她加重握住他的力道，「你有沒有恨過敬華，甚至希望他能消失？」

方佑霆木然不語，眼角抽動，艱澀出聲：「宋邵媛，妳現在到底——」

還沒說完，她捧住他的臉，覆上他的唇。

「若你沒辦法在我身邊，就把敬華還我！」

撂下這句話，她從一臉震驚的方佑霆手中拿走行李，紅著眼眶說：「我自己回去就可以了。」

宋邵媛頭也不回地離開，留下宛如石化的方佑霆。

翌日下午，宋邵媛出現在修車廠。

她在門口對方佑霆揮手，立刻引起一陣騷動。

對修車廠的大家自我介紹後，她提起手中的一袋飲料，笑著說：「我買了些果汁請各位喝，希望你們喜歡。」

「哇靠，方佑霆，你這傢伙未免過太爽了！」周一銘用力拍他的背。

「有這樣的美女，龍哥就不必再介紹女人給你了。」龍哥欣慰地道。

「吼，龍哥，你為什麼都不肯幫我介紹啦？」大熊哀號。

趁著同事們嘻鬧，方佑霆帶宋邵媛到小空地，「怎麼會突然過來？」

「來看你上班有沒有偷懶呀！」她巧笑倩兮，「我開玩笑的，我有重要的事要跟你說，所以特地來找你。」

「什麼事？」

「我媽想邀請你來我家吃頓飯。她很感謝你這陣子在醫院幫忙照顧我跟我爸，堅持要好好答謝。你何時有空再跟我說，好嗎？」

方佑霆沒有任何反應與回應，見狀，她噗哧一聲，「喂，你那是什麼臉？只是請你吃飯，又不是要吃了你！」她拉著他哀求，「拜託啦，你若不來，我沒辦法給我媽交代，還會一直被她念，你忍心看老朋友受苦嗎？」

「知道了，我再聯絡妳。」他同意。

「太好了，謝謝！」她開心一笑，接著說：「昨天……很抱歉，對你講了一堆不理智的話，嚇到你了吧？」

他扯扯唇角，「沒事。」

「那我先走了。如果紀唯有來，幫我跟她說聲謝謝。」

宋邵媛離開後，方佑霆回修車廠，默默地繼續修車，沒有參與同事們討論他們二人的話題。

大師走到他身邊，「休息一下，去喝個果汁吧。」

「沒關係，我不渴，等等再喝。」

「是嗎？還是你比較想喝這杯？」

看到大師舉起一杯波霸綠茶，方佑霆傻住，「怎麼會有這個？」

「小妹帶來的，她剛剛看見你初戀在這，說不想打擾你們，偷偷把飲料給我就走了。」大師把綠茶塞到他手中，「拿去吧。」

方佑霆低頭看著女孩買的飲料，喉嚨微乾，「謝了，大師，你也去喝果汁吧。」

「不了，我比較習慣喝這個。」

他晃晃另一隻手上拿的咖啡奶凍，再莞爾拍拍方佑霆的肩，轉身走掉。

★

「寶貝，今天沒出去嗎？」

假日，看見紀唯窩在家裡沒出門，任母好奇地問。

「嗯，想留在家裡。」她躺在沙發上。

「眞難得，媽媽還以爲妳又會去找佑霆。」任母抱著收進來的衣服，坐到女兒身旁邊摺邊說：「妳上次不是跟我說，有去醫院看他的高中同學，那位同學現在怎樣了？」

「她出院了，我上次在修車廠有看到她，看起來已經恢復健康了。」

「那就好。話說回來，佑霆這孩子眞的很貼心，每天都去醫院照顧同學，他們的感情一定相當好。一開始聽妳這麼說，我還以爲佑霆交了女朋友，連妳叔叔都很關心。」

紀唯沒有反應，對著電視發呆。

這時，沈佑嘉從房裡走出來，「任紀唯，巷口那邊有間新開的鬆餅店，評價不錯，我們買來吃吃看好不好？」

「我懶得出門，你去買吧。」她懶懶回應。

「齁，我又不知道妳想吃哪種，走啦，一起去看看！」

「唯唯，你們一起去吧，順便幫媽買一些東西。」

紀唯嘆一口氣，勉強打起精神和沈佑嘉出門。

★

這段最忙碌的高三生活，能夠讓紀唯放鬆身心的事，她最先想到的，就是和方佑霆在一起的時光。

在他的身邊，不知不覺已經變成如此自然的事，以至於許多細微之處都無法立即察覺，包括因爲別人的習慣，使得自己的習慣也跟著改變。

隨著宋邵媛去修車廠找方佑霆的次數變多，紀唯就漸漸不常跑過去了。

那年，她十八歲，談過一次戀愛，多少明白再如何親近的關係，有時還是必須適可而止，尤其是他們這樣的「兄妹」。

在宋邵媛跟方佑霆走得更近之後，紀唯想，她也應該保持適當距離。明明沒人要求她，她卻下意識自我約束，不想被人當作不識趣、不懂事的任性小孩。

日子一天天過去，縱使與方佑霆見面的機會明顯變少，但紀唯總會從修車廠裡的其他人口中聽到那兩人的「進展」。

比方說，宋邵媛的家人邀請方佑霆到家裡吃飯，而且都很喜歡他。或者是，他們經常見面，沒上班的時候還會一塊出去遊玩。

然後，幾個月後的某一天，沈佑嘉和同學去逛街，親眼看見他們兩人手牽手走在一起。

「哥眞的交女朋友了！」沈佑嘉在餐桌上訝異地說：「我原本還以爲自己看錯，超驚訝的。完全沒聽哥說耶！」

「那不是很好嗎？下次叫佑霆帶人家回來坐坐吧。」任母笑。

到最後，他們身邊的所有人，都說他們已經在一起了。就連紀唯和宋邵媛聊天，對方也會分享她和方佑霆之間的甜蜜趣事。

明明每個人都在說，卻唯獨不見方佑霆主動提及。

他從未對任何人開口說，除非別人問。即使被問，他也都會先露出一抹極淺淡的微笑，然後才回答。

「紀唯。」

因此，她始終難以忘懷那一天，即便是在離開他的幾年之後。

那是最初，也是最後，她終於聽見大哥主動向她開口。

兄妹兩人站在曾經一起賽跑的學校操場上，沐浴在與那時同樣的美麗暮色裡。

他那對溫柔沉靜的含笑眼睛停在她臉上，聲音乘著風飄進她耳裡——

「大哥要結婚了。」

Chapter 10

上午十點，桃園國際機場。

將微捲長髮撥到耳後，紀唯拖著淺灰色行李箱，快步走到機場大廳。

看看手錶，環顧四周，五分鐘過去，還是沒見到人影，她拿出手機撥了通電話，「沈佑嘉，你人在哪？」

「我還在路上。抱歉抱歉，我不小心睡過頭了！」他連忙賠不是。

「之前自信滿滿說會提早來接我的人是誰啊？」她好氣又好笑，「那你現在快到了嗎？」

「大概還要半小時，現在塞車。」

她嘆了口氣，「好吧，那你到了再打給我，開車小心點。」

切掉通話，她在機場內附設的咖啡館裡坐下。

發了封訊息給阿姨任筱玫及何詩詩後，她滑手機打發時間，注意力被某條新聞吸引過去。

那是一張流星雨的照片，斗大的新聞標題寫著，這兩天有機會看到流星雨。

她靜靜凝視那張照片，思緒漸漸隨著機場內響起的廣播聲掉回從前……

得知宋邵媛的家人請方佑霆到家裡吃飯，修車廠的同事三不五時會拿這話題來鬧他，笑稱「這表示隨時可以把宋邵媛娶回家」。

雖然是玩笑話，但他們兩人經常在一起是事實。紀唯偶爾打給方佑霆，宋邵媛不是在他身旁，就是幫他接聽電話。她不想讓宋邵媛覺得她愛黏著哥哥，因此逐漸減少打給他的次數，僅用訊息問候。

她也明顯感受到那兩人之間的變化，有了他們終會走到一起的預感……

大哥喜歡的人，果然就是邵媛姐。她想。

不管從前發生過什麼事，他們互相扶持的心，在這十年也成了更緊密的羈絆。

她曾經希望大哥可以幸福，如今看來，這個願望已經實現了。

「任紀唯，我今天看到哥跟一個女生手牽手走在一起！」

某天晚上沈佑嘉回來，立刻向她報告，「哥什麼時候交女朋友的？」

「這沒什麼好大驚小怪的吧？」她盯著電視吃零嘴。

她爲他的幸福感到高興，至於伴隨而來的莫名失落，似乎顯得微不足道。

「阿霆，小妹今天會來嗎？」週六這天，大師問。

「她沒跟我說，但她這個月就要學測了，我想她不會過來。怎麼了嗎？」

「沒什麼，只是覺得有一陣子沒看到她了，原來是在忙學測。」

「紀唯若知道大師這麼想她，一定很高興。」他輕哂。

「你不想她嗎？你們也有一段時間沒見了吧？」

方佑霆沒回應。

「你初戀知不知道？」

「知道什麼？」

對方用拳頭輕輕敲他的左胸，「知道你這裡有別人啊！」

他平靜的面容僵住，瞬間無言以對。

「我還挺好奇你們怎麼會走到這一步。」大師淺淺一笑，「明明心裡有別人，卻留在初戀身邊，爲什麼？」

方佑霆不發一語。

「你覺得這樣就可以了？」

對方洞悉一切的眼神，讓方佑霆說不出半句違心之論。

最後，他別開視線，「我有點渴，去超商買點東西。」

他脫下工作手套，走出側門，手忽然被用力抓住。

女孩的面容冷不防出現在眼前，他感覺呼吸跟心跳同時停止。

「大哥，這是什麼意思？」紀唯表情錯愕，「你喜歡的人，不是邵媛姐嗎？」

方佑霆一下子無法反應。

「你喜歡的人不是她，那爲什麼要跟她在一起？邵媛姐知道嗎？她知道你眞正的想法嗎？大哥，你在欺騙她嗎？」

見方佑霆不語，她焦急地喊：「回答我！」

「我沒有騙她，邵媛是知道的。」他回答。

紀唯瞪大雙目，萬分不解，「爲、爲什麼？既然你喜歡的是別人，爲什麼還要跟邵媛姐在一起？這樣不是很奇怪嗎？」

「這跟妳沒有關係，紀唯。」他勾勾唇角，「我跟邵媛很好，真的很好，妳不用擔心我們的事。」

對方未達眼底的笑意，讓她的胸口一陣疼痛。

「你說你們很好，可是你看起來一點都不快樂！」她脫口喊：「既然在一起，當然是要跟自己喜歡的人才對，你這樣——」

「不是每件事都能盡如人意，妳覺得理所當然的事，也不是每個人都能做到。這世上無可奈何的事比妳想像的還要多。」

他用不變的淺淡笑容回應：「紀唯，妳還太小，等妳跟大哥一樣大的時候，就會漸漸明白了。」

「大哥根本是在爲自己找藉口吧？」她雙頰漲紅，憤慨地道：「說出這種話的你，有試著努力過嗎？如果沒有，那證明大哥只是個膽小鬼，沒辦法對自己負責！」

把一袋飲料留在地上，紀唯快步離開修車廠。

聽見吵鬧聲的大師走出來，「阿霆，怎麼了？我好像聽見小妹的聲音。」

「嗯，她送飲料來，但我不小心惹她生氣，她氣跑了。」方佑霆提起地上的飲料，語氣平淡。

大師沒問他爲何會惹紀唯生氣，默默看他把飲料拿進修車廠內。

那天之後，紀唯就沒再去修車廠，也沒跟方佑霆聯絡。儘管她事後爲自己的衝動感到後悔，她依舊不能諒解，更不明白這件事給她的打擊爲何會這麼大，遲遲無法釋懷。

在心情平復下來前，她就這麼躲著對方，直至畢業典禮。

高中生活正式畫下句點的那一天，方佑霆聯繫她。

他們約在學校見面。方佑霆送了一束花，作爲紀唯的畢業禮物。

兩人並肩走在操場上，眺望著天空的火紅夕陽。這時，方佑霆打破沉默，「紀唯。」

「嗯？」

他看著她，微笑著宣布：「大哥要結婚了。」

迴盪在耳邊的風聲彷彿頓時消失，紀唯的腦海一片空白，不確定自己的臉上是什麼表情。

「妳知道，我高中時有一個好朋友吧？」方佑霆的視線回到遠方，「那個人叫敬華，他各方面都與我相反，唯獨喜歡的對象和我一樣，我們同時喜歡上邵媛。但我一直瞞著他，直到他的父親決定將他送去國外念書。敬華死去的那晚，他想去山上散心，求我帶他去，還說想向流星許願，雖然他沒說要許什麼願，但我知道，他想留下來，跟邵媛永遠在一起。

「我不曾奢望邵媛會喜歡上我，卻還是忍不住偷偷嫉妒敬華。有一次，他送了一只求婚戒給邵媛，邵媛偷偷拿給我看時，我的腦中竟閃過一個念頭——要是敬華去了國外，我就能獨占邵媛了。雖然只有短短一瞬間，但我確實有過那種想法。沒想到，最後敬華眞的離開了，而且是永遠離開。

「我很後悔，認爲是我那一秒的詛咒害了他，自那時起，我就收回對邵媛的感情。比起敬華，其實我更愧對邵媛，因爲我害她失去最愛的人，在她心裡留下無法靠時間就能撫平的傷。」

他沒有停止，淡淡說下去：「之前我受邀去她家，看見她的房裡至今都還放著敬華留下的東西，我就知道自己無法再丟下她，而她也是眞心希望我在她身邊。所以，這是我們共同的決定，沒有誰委屈，也沒有誰痛苦。對現在的我而言，看到邵媛幸福，才是我最大的心願。」

停下腳步，他再度看向紀唯，「那天妳罵我的話非常正確，明明我心裡有別人，卻選擇跟邵媛在一起，確實對自己很不負責。但我希望能讓妳知道，和我心裡的那個人相比，邵媛的事依舊更重要，這一點是不會變的。」

紀唯沒有回應。

方佑霆從外套的口袋裡拿出一只小盒子，裡面裝的是女孩的蛋白石項鍊。

「今天除了跟妳報告這個消息，我也要把項鍊還給妳。謝謝妳把這麼重要的東西託付給我，它曾經帶給我很大的力量。如果可以，我想繼續戴著它，但認真想想，我還是覺得這條項鍊留在妳身上才是最好的。」

他莞爾問：「我可以幫妳戴嗎？」

紀唯喉嚨乾澀，點點頭。

方佑霆的雙手繞過她的頸項，紀唯的呼吸跟著短暫停滯，明明對方沒碰觸到她，她卻覺得自己彷彿被他緊緊擁抱，連他的氣息跟懷中的溫度都能感受到。

歸還項鍊後，方佑霆轉身，在操場上緩步行走。

她深深凝視他的背影，用沙啞的聲音喚：「大哥。」

「嗯？」

「你心裡的那個人，是怎樣的人？」

方佑霆回頭，視線鎖定在女孩臉上，久久不動。

最後，他伸手往天空一指，笑容燦爛。

「她是曾經把全世界的流星，都給我的人。」

「紀唯。」宋邵媛在手機另一頭驚喜地說：「好久不見，妳好嗎？怎麼會突然打給我？」

「哦！今天家裡收到喜帖了……我媽要我親自打給妳說一聲。」紀唯衷心祝賀，「恭喜妳，邵媛姐，照片非常漂亮。」

「謝謝，妳大哥換上西裝是不是就變了個人？連我都快認不出來。」她笑著道：「吃喜酒的那天，紀唯也要穿得漂亮一點喔！妳是佑霆唯一的妹妹，一定要美美登場。」

「好。」紀唯應下，咬唇，「那個……邵媛姐。」

「怎麼了？」

「其實我有一個聽起來很怪的問題想問妳，我沒什麼意思，只是想親耳聽到邵媛姐的回答，希望妳不要生氣。」

「好，妳問。」

「妳……」她嚥嚥口水，「妳愛我大哥嗎？」

對方停頓了一秒鐘，用認眞的語氣回答：「嗯，我愛他。」

女孩還沒想到要說什麼，宋邵媛就再度開口。

「紀唯，妳知道嗎？我曾以爲我只是單純地想要獨占妳大哥，所以才捨不得讓他離開。但後來我發現，那份感情是依賴、是需要，也是愛。我需要佑霆，更想永遠在他的身邊。我不知道這麼說妳能不能明白……我曾經深愛過某個人，甚至到現在都還愛著他，但這不代表我不愛妳大哥。他們都是我生命中很重要的人，而且無法比較。」她溫柔道：「所以，若妳想問我是不是眞心愛著妳大哥，我的答案絕對是肯定的。」

「嗯，我明白了，謝謝邵媛姐願意告訴我。」她抿唇，慎重地說：「祝妳跟大哥永遠幸福。」

「謝謝妳，紀唯。妳的祝福對我跟妳大哥而言，比任何人的祝福都重要。我發誓會一輩子珍惜佑霆，不讓妳失望。」

放下手機後，紀唯坐在床上沉思，最後下床換好衣服，離開家裡。

晚上八點，修車廠的鐵門拉下。

大師走出側門，發現紀唯心事重重地坐在小空地，立刻走了過去。

「小妹，妳來找阿霆嗎？他今天沒上班喔。」

「我知道。我只是……單純想過來這邊坐坐，想想事情。」

瞧著女孩片刻，他在她身邊坐下，「怎麼啦？有什麼不開心的事嗎？要不要跟我說說？」

紀唯看著他，吞吞吐吐，「大師可以幫我保密嗎？」

「當然可以。」

她鬆一口氣，訥訥開口：「自從大哥決定跟邵媛姐結婚，我就對一件事耿耿於懷，煩惱到現在。」

「什麼事？」

「大哥眞正喜歡的人。」她盯著腳下的綠地，「我明白大哥的想法，可心裡還是會忍不住懷疑，這樣眞的可以嗎？不是跟自己愛的人結婚眞的沒關係？不會有遺憾嗎？只要想到這些，我心裡就悶得不舒服。是不是因爲我還太小、不夠成熟，才會難以釋懷？」

「也就是說，妳在心疼妳大哥無法跟眞正心愛的人在一起，是嗎？」

紀唯停頓一下，點頭。

「妳很在乎阿霆，會有這樣的想法很正常。」

「眞的？」

「嗯。」大師頷首，眼神意味深長，「可是小妹，妳是否想過，就算妳大哥今天沒和別人結婚，他也未必能和心愛的人順利在一起。如果說，那個人是他不能愛上的人，或者是就算愛上也不會有結果的人，那妳認爲這樣會有什麼不同嗎？」

「不能愛上的人？」紀唯愣愣，「大師，難道你知道大哥喜歡的人是誰？」

「知道，我常常見到她。」

「是……是誰？」紀唯心跳加快，話聲不穩，「可以告訴我嗎？我不會說出去！」

「妳眞的想要知道？」

「嗯！」

大師靜靜凝視女孩片刻，嘴角浮出笑意，在她的耳邊輕聲回應……

★

一片無垠無涯，鑲著無數白色星光的彩虹夜空，驀地出現在紀唯的眼前。看過一次就不會忘記的絕美星空，讓她無比激動，內心澎湃不已。

沒多久，一道銀色光束從遠方天空一閃而過，劃下一道美麗的線條。

紀唯的雙腳自動朝著那道光束飛去的方向狂奔。

光芒越來越低，也越來越強烈，彷彿就要墜落在眼前。然而追到最後，一幕從未見過的景色映進她的眼簾。

看似沒有盡頭的遠方，竟出現一道風景，像是從山上俯瞰的景色。

光線朝前急速飛去，往不遠處的某道身影上方掠過，這一刻，紀唯停住腳步。

一個看似與她年齡相仿的少年，坐在摩托車上，仰望著從他眼前閃過的流星。

突然間，那名少年回過頭，朝她站的方向一望……

躺在床上的紀唯，瞬間從睡夢中驚醒！

她呼吸急促，心臟狂跳，呆坐在床上動也不動。

「我在夢裡頭有追著流星跑，追到最後，說不定就可以見到大哥了！」

「不，妳只會看到一個半夜不睡覺，還溜出家，年紀跟妳差不多的臭男生坐在機車上，傻愣愣地盯著天空看。」

紀唯緊抓著棉被，淚眼模糊。

「她是曾經把全世界的流星，都給我的人。」

滿滿的回憶，將紀唯的心徹底填滿，不留一絲空隙。

她摀著臉，淚水卻從指縫中不停滑落，她再也忍不住嗚咽出聲。

情緒潰堤的這一刻，她下床跑到客廳，正要回房的任母看見女兒滿臉是淚，詫異地道：「寶貝，妳怎麼啦？」

紀唯衝上去緊緊抱住母親，在她的懷中嚎啕大哭，泣不成聲。

這天起，她確定自己的心無法回到以前。

再也回不到「妹妹」的位置。

★

接到電話時，方佑霆馬上看向窗外——紀唯站在他家大樓外對他揮手。

他馬上將門鎖打開，讓她進門。

「怎麼了？爲什麼這麼晚突然跑過來？」他訝異地問。

「嘿嘿，我是來陪大哥喝個通宵的！」紀唯把一大袋啤酒放在桌上，「大哥結婚後，我就沒辦法一天到晚騷擾你了，所以今天是最後一次。大哥，喝吧！」

方佑霆從她手中接過啤酒。

看著紀唯打開一罐啤酒，喝得太急而不小心嗆到，他一陣笑，拍拍她的背，「喝慢一點，不要急。」

紀唯點頭，緊閉雙眼，忍著啤酒的苦澀味道，一口接著一口。

方佑霆沒怎麼喝，默默觀察女孩越來越紅的雙頰。

等到她喝完第五罐，他伸手拿走她準備打開的酒罐，笑著勸阻，「可以了，到此為止，再喝下去，妳會很難受。」

紀唯兩眼迷離，神情茫然，整個人沉默下來。

「大哥，我有話跟你說。」

「什麼？」

「就是……我可能沒辦法喝你跟邵媛姐的喜酒了。」她輕輕打了個嗝，「我有個阿姨住在洛杉磯，她邀請我下週去找她玩。她只有那個時候有空，我去的話，就沒辦法趕上大哥的婚禮……對不起。」

「沒關係。」方佑霆絲毫不介意，溫柔地摸摸她的頭，「我有聽佑嘉說，妳這幾天精神很不好，看起來心事重重，還老是把自己關在房裡。雖然我不曉得發生什麼事，但只要妳的心情能好轉，妳想做什麼，我都會支持。」

「大哥居然沒大發雷霆，哪有人脾氣好到像你這樣的。如果你生氣，覺得我不懂事，可以開口教訓我。」

「我不會教訓妳，我是眞的認爲沒關係。比起看妳出現在我的婚宴上，我更在乎妳的心情。」他認眞地說。

紀唯眼圈微熱，深吸一口氣，「大哥，你的手借我好嗎？」

「手？」

他伸出右手，立刻就被女孩牢牢地用雙手握住。

「大哥還記得嗎？我曾經說過，會一直在你這邊。我也說過，只要你在邵媛姐身邊支持她，我也會在你身邊支持你。只要是大哥的決定，我一定都會支持，就像你一直支持著我一樣……」

方佑霆專注地望著女孩的臉，靜靜聽她說。

「就算……大哥最後不是跟自己心愛的人結婚也沒關係。我不知道到底要怎麼做，才能眞正幫助到大哥，我能做的就只有支持你，一直一直支持你……」

淚水的熱氣徹底熏紅紀唯的眼睛，她無法再冷靜地看著那張臉。她必須藉由酒精的麻痺，才有勇氣說出眞正想告訴他的話。

「大哥，你要幸福。」

眼淚掉下的瞬間，她止不住地哭泣，「不管最初如何，也不管過程是怎樣，只要你最後是幸福的就好了。我希望大哥能再次愛上邵媛姐，因爲這樣，你才可以眞正的得到幸福。」

她抓緊他的手，全身顫抖，淚流滿面，「如果你選擇的是邵媛姐，那就請你一定要愛上她，不管需要多久時間，只要你最終是愛她的就好。求求你一定要愛上邵媛姐，拜託你答應我……」

紀唯的痛哭聲，瓦解方佑霆封起的心房。

最後，哭累的女孩醉倒在他的懷裡沉沉入睡。

他停駐在她臉上的目光，久久沒有移開。他一次次撫著女孩的髮、眼睛，並俯首輕吻她的唇。同時滑入嘴角的鹹，讓他一陣哽咽。

他與女孩額貼著額，靜靜地流淚。

這是他最後貪圖的溫暖，過了今天，這場美夢就會從此埋葬在心底，不再被誰提起。

他和女孩的夢。

打開鐵門，看見站在屋外的人，婦人一愣，「佑霆？」

「伯母，您好。」方佑霆禮貌地對她微微頷首，「請問我能看看敬華嗎？」

婦人頷首，讓他進屋。

點了一炷香後，方佑霆便在范敬華的靈堂前爲他上香。

「我看到你跟邵媛的喜帖了。」婦人倒了一杯茶給他，「恭喜你。」

「謝謝。」

說完，范敬華的父親也出現，他馬上站起身，恭敬地叫了一聲：「伯父！」

范父淡淡「嗯」了一聲，要他坐下，「婚禮是這個月底，沒錯吧？」

「對。」

「沒想到你會和邵媛結婚，祝你們幸福。」

「謝謝伯父。」方佑霆勾起唇角，「我會連敬華的份，好好照顧邵媛。」

范父一聽，抬頭注視著他，平靜的目光突然變得嚴肅銳利。

「佑霆。」他沉聲開口：「敬華不需要你給他一個交代。」

方佑霆的笑意凝結在嘴邊。

「我們從不需要你爲敬華做什麼，只希望你能帶著對他的這份心意，認眞地對自己負責。敬華的人生，只有他能完成，誰都沒辦法塡補，更沒人能爲他接續下去。哪怕是原本屬於他的『責任』，在他離開之後也該結束了。」

范父面無表情，「身爲那孩子的父親，我關心的是，這十一年來你爲自己做了什麼，而非爲敬華做了什麼。敬華死後，你是否有過得比從前更認眞？是否有更懂得爲自己負責，以及更懂得珍惜身邊的人？我們不需要你的『彌補』跟『贖罪』，更不需要另一個『范敬華』，那孩子的死，有沒有讓你更加正視自己的行爲，才是我和他母親在乎的。」

他木然不語。

「現在的你，是在過你的人生，還是敬華的人生？你長這麼大了，也很聰明，我相信你能分辨得清楚，也能明白我在說什麼。」

嘆一口氣，范父認眞重申，「伯父再說一次，我們不需要另一個『范敬華』。帶著對他的心意，珍視你的人生，這才是眞正尊重敬華的表現，你明白嗎？」

方佑霆啞口無言，做不出半點反應。

「突然跟你講這些，你別見怪。我跟你伯母看著你這麼多年，自然清楚你對敬華的心意，所以不想見到你又往錯誤的方向走。你的人生還很長，今後會有更多該盡的責任，如果你眞的決定和邵媛結婚，我希望那是因爲你眞心愛她，而不是覺得虧欠敬華，想替他愛她。」

語畢，范父拍拍他的肩膀，起身步出了客廳。

★

方佑霆與宋邵媛的婚宴前一週，紀唯帶著幾件行李，出現在桃園國際機場。

「有跟妳阿姨聯絡好了嗎？」來送機的任母問。

「嗯，筱玫阿姨說會來接我。」紀唯表情歉然，「媽，對不起，我又做出這麼任性的事。」

任母微笑，沒有說什麼，只是擁抱女兒。

沈佑嘉問：「任紀唯，所以妳是兩個禮拜後回來吧？記得幫我買禮物。」

「好哇，我帶我阿姨做的殭屍面具回來送你。」她邪笑。

沈佑嘉嚇得馬上搖頭，「我才不要！」

「差不多要登機了。」聽到廣播聲，任母說：「唯唯，到洛杉磯再跟媽聯絡，知道嗎？」

「好，那我走囉。」她拉起行李，揮揮手，跟家人們道別。

連紀唯都想不到，自己這一去……便是五年。

★

「紀唯？」

一聲輕喚，讓原本還認眞地看流星照片的紀唯，立刻抬起頭。

「眞的是妳？」眼前的人驚喜地張大眼睛，露出爛燦的笑，「好久不見了！」

忽然見到宋邵媛，讓紀唯詫異不已。

宋邵媛立刻在她前方空位坐下，「沒想到會在機場見到妳，今天回台灣的嗎？」她仔細盯著紀唯，讚嘆地說：「妳變得好漂亮，我剛剛差點認不出來！」

「邵媛姐妳過獎了，都是化妝化出來的，素顏的話就不能看啦。」紀唯莞爾。

「妳在洛杉磯這五年都做些什麼呢？」

「我跟我阿姨學化妝，原本只是好玩，沒想到玩出了興趣，就繼續留在她身邊學習了。」

「原來如此，那妳還會回去嗎？」

「不會，我會留在台灣。我媽警告我，今年再不回來，她就要跟我斷絕母女關係。」

「女兒離開身邊這麼久，媽媽當然會想念的嘛。」她呵呵笑。

「那邵媛姐是要出國，還是剛回國呢？」

「我要去馬爾地夫度假，跟我老公一起，他正在那裡買咖啡。」說完，她就對站在櫃檯前的人揮揮手，「老公，這裡！」

紀唯的心微微一顫，轉過頭去，看著端著兩杯咖啡朝她們走來的男人……

沈佑嘉抵達機場，幫紀唯將行李搬到車上。

紀唯坐在前座，繫上安全帶，平靜地問：「你知道我剛剛在機場遇到誰嗎？」

「誰？藝人嗎？」他一頭霧水。

「是邵媛姐，宋邵媛。」她淡淡道：「還有她的丈夫。」

聞言，沈佑嘉一驚。

紀唯看向他，「爲什麼邵媛姐跟大哥沒有結婚？」

「呃……」他握著方向盤，低聲應：「其實眞正的原因我也不清楚，婚宴前三天臨時取消，後來哥跟邵媛姐就分開了。」

「那爲什麼沒人告訴我？」

「是哥要求的，他拜託我跟老爸還有阿姨先瞞著妳，以免讓妳擔心。知道妳打算留在洛杉磯之後，就決定不告訴妳，除非妳主動問。因爲哥那樣請求，我們就沒有跟妳說，沒想到妳眞的一次都沒有問，所以就……」

語畢，沈佑嘉舉起雙手做出防護的動作，想抵擋下一秒將朝他掄來的拳頭。沒想到，紀唯只是默默凝視著前方，一動也不動。

「大哥現在在做什麼？」

「跟以前差不多。當年婚禮取消鬧得滿大的，不過他現在過得也不錯。」

「是嗎？」她沒有再多問，話鋒一轉，「媽他們現在在家嗎？」

「沒有，老爸跟阿姨今天去醫院了。」

「爲什麼？怎麼了嗎？」她一驚。

「其實是……」他抿嘴忍笑，將嘴湊近她耳邊。

紀唯瞪大眼睛，發出尖叫：「眞的假的？」

沈佑嘉不斷點頭，嘴角盡是掩不住的笑意。

「不會吧，我媽她……」紀唯不敢置信，「我媽她眞的懷——」

「還不確定，阿姨是前兩天發現的，今天老爸帶她去做檢查，不過我想應該是中了啦！」沈佑嘉大笑。

「我的天啊！」紀唯又驚又喜地掩口，「太厲害了，眞不敢相信！」

「我倒覺得我老爸比較厲害，他簡直樂壞了，但阿姨超不好意思，說自己快五十歲了居然還懷孕……」

兩人在車內笑到東倒西歪，紀唯止住笑，伸手打他的肩，「沒禮貌，竟然笑我媽！」

「妳自己還不是笑得很開心？」

「呵呵，不過這眞的是大驚喜。」深深吁一口氣，紀唯將身子往後靠，「沈佑嘉，回家前先載我去一個地方吧。」

「去哪？」

她望著車窗外，思緒飄至遠處。

★

「咦？」抬起頭，宋邵媛面露訝異，「紀唯出國了？」

「嗯，幾天前。」方佑霆喝了口綠茶，「她臨時有事，要去找她阿姨，可能沒辦法回來喝喜酒，要我跟妳說聲抱歉。」

「是嗎……那就沒辦法了，好可惜。」她語帶惋惜，輕輕放下咖啡杯，接著握住他的手，「佑霆，明天一起去看敬華，好不好？」

「好啊。」

婚宴的前三天，他們前往墓園，和十七歲的范敬華說說話。

半小時後，他們離開墓園，走到景觀園區，宋邵媛勾著方佑霆的手，笑呵呵地說：「你知道嗎？我朋友們問我，你是怎麼跟我求婚的？我都告訴他們，不是你跟我求婚，是我跟你求婚。他們一臉不敢相信，直說好佩服我，沒想到我這麼有勇氣！」

「妳本來就是個有勇氣的人啊。」

「是嗎？」她眨眨眼，仰頭望著蔚藍的天空，「今天來看敬華，我覺得他好像還在我們身邊。你知道嗎？想到可以跟你共組一個家，還是有些不可思議。等到我們將來有小孩，希望孩子的個性可以像你一樣溫柔。長相的話，若是女生，就像我好了。至於頭腦……」

「像敬華？」他接道。

宋邵媛笑開懷，「我們果然心有靈犀。」語落，她忽然往前方圍欄跑去，驚嘆，「這邊的花開得好漂亮，佑霆，你快來看！」

她站在花叢前，方佑霆的目光鎖定在她身上，半晌後，他仰頭看著幾隻飛過天空的小鳥……

「敬華不需要你給他一個交代。」

當鳥離開視線，他眸裡的波動也跟著靜止。

「我關心的是，這十一年來你爲自己做了什麼？」

「現在的你，是在過你的人生，還是敬華的人生？」

「大哥根本是在爲自己找藉口吧？說出這種話的你，有試著努力過嗎？如果沒有，那證明大哥只是個膽小鬼，沒辦法對自己負責！」

「敬華死後，你是否有過得比從前更認眞？是否有更懂得爲自己負責，以及更懂得珍惜身邊的人？」

他輕輕閉上眼睛。

「大哥，你也是我的寶物，知道嗎？」

「我希望大哥能再次愛上邵媛姐，因爲這樣，你才可以眞正的得到幸福。」

「我們不需要另一個『范敬華』。」

雙眸睜開，一抹淚光出現在他的眼角。

「邵媛。」

「嗯？」

「妳覺得敬華還在我們身邊，是嗎？」

「是呀。」

「所以妳也希望，未來他能夠繼續在我們身邊？」

「那當然囉。」

「可是我並不希望。」

聞言，宋邵媛怔住，回頭望向他。

「我不希望他繼續存在。」他迎著她的視線，「不想再看到我們之間，還有他的影子。」

宋邵媛木然不語。

「從此以後，關於敬華的一切，我都不會再留戀。不管是對他的思念、悔恨，還是愧疚，我通通會放掉。包括他割捨不下的，也不會再替他繼續。」

他語氣平靜，「范敬華這個人，不會再出現在我的人生裡。我也會讓我們三人的羈絆徹底結束，不管是我和他，還是他和妳，甚至是妳跟我……一切就只到這裡，不會再前進了。」

她呆了一會兒，趕緊上前抓住他的手，「佑霆，你在說什麼？什麼就只到這裡？我怎麼一個字都聽不……」

一抬眼就看見方佑霆臉上滿是淚痕，宋邵媛再度傻住。

「自從敬華死後，我再也沒有眞正活過。」他的淚水滑落，「我放棄自己的一切，放棄讓自己幸福快樂的權利。這十一年來，我關閉了所有感覺，只爲了讓敬華繼續留在我的世界裡，從此拋棄了自己，也拋棄身邊的所有人。我不曾再爲自己，以及愛我的人們做過什麼，只能一直傷他們的心。所有我該盡的責任，我一樣都沒做到，也沒有因爲敬華的死變得堅強，反而讓自己變得比以前更懦弱、膽小。」

他的聲音顫抖，「對不起，邵媛，我不能讓敬華回來，沒辦法替他愛妳。我不是他，也永遠無法變成他，更沒辦法在拋棄自己的人生跟責任之後，還對妳的人生負責。」

「佑霆，我沒有要你變成敬華，我愛敬華，可是我也愛你。這是眞的，我——」

「可是我不愛妳。」他心痛地說：「邵媛，我對妳的感情很早就已經結束了。我曾以爲，只要努力就可以重新愛上妳，可是十七歲的我們早就不在了，也不會回來。我無法再抱著『以後可能會愛妳』的心態留在妳身邊，更沒辦法繼續欺騙妳跟我自己。我不想現在傷害妳，還連未來的妳都一塊傷害。」

「你怎麼可以這樣？」宋邵媛激動地喊，哭著說：「爲什麼事到如今你才這樣？我不在乎你不愛我，也不會再跟你提到敬華，這樣不行嗎？」

「不行。」他直直望著她的眼，「這十一年，我已經虧欠自己，也虧欠我身邊的人太多太多了，我不想再逃避。什麼是屬於我的，什麼不是屬於我的，我比誰都清楚，所以我很明白，妳的幸福不是我能給的。」

宋邵媛渾身發抖，淚流滿面。

「你眞的決定了？」她恨恨地問：「你不怕我會恨你一輩子？」

「沒關係。」他輕哂，溫柔地說：「邵媛，妳可以永遠恨我，我不會求妳原諒。妳所受到的傷害，通通由我承擔，讓我變成罪人也無所謂。可是只有妳的幸福……我不能爲妳承擔。」他沙啞道：「對不起，邵媛，眞的對不起。」

看著方佑霆的眼淚，宋邵媛再也說不出半句話，抓著他的手漸漸鬆下。

這是第一次，她聽見眼前這人心裡眞正的聲音——總是像鳥兒般自由，誰也捉不住的他，說「想要幸福」的聲音。

無論多麼珍惜他，對他而言也是囚禁，他終究會飛離，只因他從不曾眞的屬於她。

這樣的男人，最終只會停靠在某個地方——一個可以讓他自由翱翔，卻永遠不會遠離的地方。

★

「奇怪，鐵門怎麼是拉下的？」

從機場離開，將車停在修車廠對面的沈佑嘉，納悶地問：「任紀唯，這樣妳還要下去嗎？」

「嗯，我想在這附近走走，你先回去吧。」

「那晚點要來載妳嗎？」

「我會自己回去，麻煩你先幫我把行李帶回家，謝囉。」

「OK，那晚點見。」沈佑嘉隨即將車開走。

紀唯拿著手提包，站在多年不見的地方，專注地環顧一圈。

走到側門旁，那片小空地還在，紀唯看著放置在那裡的一排輪胎，臉上露出一抹懷念的笑。

坐在其中一個輪胎上，她托著腮，昔日的景色帶著她進入回憶。

突然間，耳邊傳來鐵門開啟的聲音。紀唯轉頭一看，不是側門被打開，她起身走上前，從牆後探頭一瞧。

這一瞧，她的目光就再也沒移開過。

有個男人站在一輛黑色轎車前，專注修理前方的引擎。

那張面容和那道身影，和記憶中的他沒有太大的不同。

幾分鐘後，另一輛白色轎車緩緩駛來。

一名年約三歲的小女孩跑下車，衝向裡頭的那人，大喊一聲：「把拔！」

方佑霆莞爾一笑，蹲下將女孩抱起來，「小星來啦?有沒有想我?」

「有！」女孩緊緊圈著他的脖子。

這時，女人從副駕駛座下車，笑呵呵對他說：「阿霆，這孩子很想你耶，從早上就吵著說要找佑霆把拔！」

「眞的嗎？」他脫下手套，捏捏女孩的鼻子，「原來小星這麼愛我？」

看著和樂融融的景象，紀唯牽起嘴角，轉身離開修車廠。

「眞是，總算找到了，原來放在置物櫃裡。」最後下車的龍哥，拿著一串鑰匙走上前。

看到女孩還抱著方佑霆喊「把拔」，他忍不住吃味，「喂，小星，妳老爹在這裡啦！怎麼可以一直叫人家把拔？」

「你吃什麼醋？是我們女兒眼光好，才會找一個比較帥的當她爸爸。」

聽到他們夫妻的對話，方佑霆又笑了。

這時，口袋的手機響起，他放下女孩接聽，「喂？佑嘉。」

「哥，你現在在家嗎？」

「沒有，我在修車廠，怎麼了嗎？」

「咦？我剛剛開車過去，門是關的耶？哥有看到任紀唯嗎？」

他一愣，「紀唯？」

「對啊，她今天回台灣，我剛剛載她去修車廠，她說要在那附近走走，你沒看到她嗎？」

方佑霆一聽，馬上走到門口四處張望，沒發現女孩的身影。

「阿霆，怎麼了？」抱回女兒的龍哥問。

「龍哥，可以幫我看一下這邊嗎？我出去一下，馬上回來！」說完，他立即跑出修車廠。

前往公車站的路上，紀唯一邊漫步，一邊回顧這段熟悉的路線。

離開台灣的這五年，她不曾主動開口問過家人有關方佑霆的事。甚至在洛杉磯的第一年，她不用社群，就是爲了不要看見那兩人的任何消息。

剛開始，她以爲自己只是不知道如何處理這樣的心情才想逃開，她不知道要怎麼在得知大哥愛的人是自己之後，用和從前一樣的態度面對他和宋邵媛。

她以爲最初的那些心痛，是來自對大哥的不捨和心疼，直到她不在他身邊，那些慌亂與失措逐漸消失，她才釐清內心的眞實聲音。

那種感覺一天比一天清晰鮮明。

是從什麼時候開始的呢？是第一次和他一塊躺在學校操場看夕陽時，他對她說那句話的時候嗎？

「意思是，如果你現在跟我一樣是十七歲，你可能也會喜歡上我？」

「不是可能，是一定會。」

還是，在她十八歲生日的那天，他千里迢迢從醫院騎車去找她，就爲了送禮物給她，對她說一聲「生日快樂」？

「十八歲生日快樂，紀唯。」

或者是在看見他爲了尋找她給他的項鍊，被大雨淋得溼透，並且在找回項鍊時，臉上露出的那抹燦爛笑容？

「這是妳重要的寶貝不是嗎？妳把它交給我，我當然也要用心珍惜才行。」

到底是從何時開始，她對他有了悸動的心情？

想起他的笑，她的心就不住地抽痛，痛到流淚，那一刻她才明白，那份情緒是什麼。

那是愛。

她是愛大哥的。

直至他決定把幸福給別人時，她才發現自己一直是愛他的。

直至長大了，她才看清楚這份感情。

因爲會心痛，所以她遲遲提不起勇氣知道有關他和宋邵媛的任何消息，只能等待自己可以打從心底祝福他們，並在哭過之後，可以很快擦乾眼淚，展露微笑的那一天到來。

這些年來，就只爲了等待那一天……

從包包裡傳來的手機鈴聲，讓紀唯停下腳步，看到螢幕上的來電顯示，她停頓了整整五秒鐘。

「喂？」接起，她不自覺深呼吸，「大哥。」

「紀唯。」久違的聲音自電話另一端傳來，「妳回來了？」

「對啊，今天到的。好久不見，大哥。」

「妳在修車廠附近嗎？」他語氣有些急促，「佑嘉說，妳剛剛有來這裡。」

「嗯，剛離開不久。我有看到大哥喔！還看到一個小女孩叫著『把拔』，衝上去抱你。」

「那是龍哥的女兒，叫小星。妳看到她，那還有看到另一個人吧？是龍哥的老婆。」

「大哥現在是在跟我解釋什麼嗎？」挑挑眉，紀唯笑起來，「我當然看得出那不是你女兒，難道你以為我會像電視劇上演的，撞見這一幕然後哭著跑掉？」

另一頭傳來他的輕笑聲。

「大哥，我今天在機場有碰到邵媛姐。」

「她好嗎？」他聲音平靜。

「嗯，她看起來很好，她和她老公要去旅行。邵媛姐跟我說，你甩了她之後，又變成孤家寡人，叫我趕快找個女友給你。」她好奇問：「你還沒找到帶流星來給你的人嗎？」

方佑霆緩緩停下腳步，抬起頭四處張望，終於看見在對街的一道熟悉身影。

女孩的一頭長髮隨風輕輕飛揚，她一身紅色雪紡紗上衣，搭配黑色牛仔褲，正拿著手機說話。

他站在原地不動，靜靜望著她。

昔日的女孩，經過幾年，已經蛻變得如此美麗，宛如蝴蝶，光彩奪目。

沒多久，女孩也往對街一瞧，看見對面的那人，視線再也沒有移開。

「大哥。」紀唯望著他，「明天可以看到流星雨，你知道嗎？」

「是喔？我不知道，妳想去看嗎？」

「嗯，我想去山上看。」她問：「你能載我去嗎？」

方佑霆沉默，唇角勾起，低聲應：「那妳要有心理準備，有時一等就要等上好幾個小時，會很無聊喔。」

「不會。」凝視他的笑，紀唯的眼眶變得溼潤，「因爲有大哥在。」

當一道光束從天空劃過，紀唯知道，只要一直追著它，就會看見那個人在那裡。

她會找到他，在那片星空下。

看見那個人坐在機車上，專注仰望天空，等待那顆流星飛到身邊。
他會載著它，乘著星光，從十七歲，來到這裡找她。
將全世界的流星，都給她。

（全文完）

番外一
啊，有流星！貓系大哥的願望

佑霆想，每個孩子應該多少都有過這樣的童年。

小學生的作文題目中，「我的爸爸」、「我的媽媽」或「我的家人」，這些與家庭有關的主題，絕對少不了。

在他國小三年級的時候，某次老師出的作文題目，就是「我的家人」。

他一向對作文沒什麼興趣，卻寫得比以往還要認眞，結果這篇作文，他拿到了全班最高分，還被貼在學校的布告欄，讓全校學生欣賞。

對當時的他而言，這是十分難得的經驗。

「我最大的願望，就是希望我們全家人可以一直幸福下去，永遠在一起。」

老師對他的這篇作文讚譽有加，還在文末特別用紅筆標示出佳句，給予肯定。

他背著書包，迫不及待地跑回家，想要與家人分享作文被張貼在布告欄上的光榮。

一到家卻發現沒人應門，附近的某位鄰居看見他呆站在家門外，便直接騎車載他到醫院。

「媽媽！」一踏進醫院，佑霆馬上直奔病房，連書包都還沒放下，就衝向母親的身邊，「媽媽，我來了！」

「咦？是誰帶你過來的？」躺在床上的沈母訝異問。

「隔壁的張阿姨，她說媽媽去醫院生弟弟了。」他滿臉雀躍，「媽媽，弟弟在哪裡？他在哪裡？」

「別急，等爸爸來，再叫他帶你去看。」沈母莞爾。

十五分鐘後，暫時擱下工作的沈父，也終於趕到醫院。

父子倆一起去看剛出世的小嬰兒。沈父抱起兒子，指著玻璃窗裡頭的其中一個小嬰兒說：「佑霆，你看，那就是弟弟唷！」

佑霆順著父親手指的方向，聚精會神地凝睇躺在小床上的嬰兒。那嬰兒雙眼緊閉，十分嬌小，不時晃晃手腳，看起來相當活潑好動。

「今後我們佑霆就要當哥哥囉！你要幫媽媽照顧弟弟、陪他玩，教他很多很多事，知道嗎？」

「嗯，我會照顧弟弟，也會陪他玩。」

「很好，爸爸相信你一定可以做得很棒。」

「那弟弟要叫什麼名字？」

「這個嘛……」沉吟片刻，沈父微笑看著他，「你覺得呢？你覺得弟弟要叫什麼名字才好？」

小腦袋瓜思考一會兒，佑霆眨眨眼，「家！然後跟我一樣有個佑，好不好？」

「佑家……」沈父複誦，好奇，「爲什麼你會想取這個名字呢？」

「因爲我之前寫的那篇作文被貼在布告欄上啦！就是『我的家人』那一篇。老師說我寫得很好，還想幫我拿去比賽耶！」

「眞的？我們佑霆眞厲害！」他笑開懷，「所以你才想到用『家』這個字，當作弟弟的名字？」

「對啊。」

「好，那爸爸跟媽媽商量過後，再看看要不要叫弟弟『佑家』，這樣好嗎？」

「嗯！」

經過夫妻倆及親戚們的討論，他們決定參考佑霆的意見，再稍作變更，爲小兒子取名「佑嘉」。

弟弟的誕生，讓這個家庭變得更加熱鬧，也更加幸福美滿。

「媽媽，佑嘉好像哭了耶。」

某天，佑霆放學回來，聽到臥房裡傳來嬰兒的啼哭聲。

「哎呀，眞糟糕。」突然下起大雨，沈母趕緊將陽台的衣服收進來，「佑霆，你去幫忙看一下弟弟，媽媽現在走不開。」

「好！」他放下書包，走到母親房裡。

躺在嬰兒床的佑嘉正聲嘶力竭地哭著，佑霆怎麼安撫都無法讓弟弟停止哭泣，於是他索性扮起鬼臉，不斷擠眉弄眼。沒多久，弟弟居然逐漸安靜下來。

見佑嘉專注地凝視著自己，佑霆一會兒將臉倏地湊近，一會兒又猛地後退，如此來回重複幾次，逗得佑嘉雙眼瞇起，發出陣陣笑聲。

家人們也藉此機會發現，佑嘉開始哭鬧的時候，只要佑霆對他扮鬼臉、逗他玩，他很快就不哭，然而其他人依樣畫葫蘆，他不但照哭不誤，還會哭得更大聲，因此碰到類似情況，幾乎都要靠佑霆出馬安撫佑嘉的情緒。

佑嘉喜歡哥哥，從嬰兒時期就可以明顯看出，再稍微長大一點，他更是緊黏著哥哥不放。

佑嘉喜歡哥哥到什麼程度呢？他第一次開口叫人，叫的竟然是「葛格」，不是「把拔」，也不是「馬麻」。

小時候的佑嘉，活潑可愛又討喜，深得所有親戚鄰居的歡心。只是，他的身體不太好，免疫力較差，常常會毫無預警地生病發高燒。

佑嘉的個頭也比一般小孩還要來得小，一生起病，要花一段時間才能完全康復，因此總是讓父母傷透腦筋。

某個半夜，佑霆又聽到弟弟大哭的聲音，他走出房間，發現爸媽抱著弟弟準備要出門，「佑嘉又生病了嗎？你們要去醫院嗎？」

「是啊，佑霆你去睡覺，沒事的。」沈父一說完，佑嘉發現佑霆站在一旁，忽然伸出雙手，一把鼻涕一把眼淚，口齒不清地叫著「哥哥」，小小身子不停抽噎，吵著要找哥哥。

沈父抱著佑嘉走向門口，才一步，他就哭得更凶。

「那個，爸爸。」佑霆忍不住開口：「我跟你一起去吧？」

沈母猶豫地說：「可是現在很晚了，佑霆明天還要上學呢。」

「但佑嘉哭成這樣，我擔心情況會更嚴重。」最後，沈父對兒子說：「佑霆，你換一下衣服，只要跟佑嘉一起到醫院就好，到時媽媽留在那裡，爸爸再送你回來。」

「嗯。」他點頭，回房迅速換上外出服，跟著父母一塊到醫院。

在車上，佑霆抱著弟弟坐在後座。佑嘉情緒穩定了許多，但仍不停發出啜泣與激烈的咳嗽聲，而且身體滾燙，身子虛弱得幾乎癱軟在哥哥身上。

看到才三歲的弟弟得一直承受這些痛苦，十二歲的佑霆也滿是緊張跟焦慮，深怕弟弟會因病重而離開他。

在他的腦海裡，這是最鮮明的一段記憶。

當時的他怎樣也想不到，未來的他，居然會真的離開弟弟，以另外一種方式。

佑霆升上國中後，父親依舊忙碌於工作，而身為家庭主婦的母親，和幾個志同道合的婦人朋友組成讀書會，有時那些朋友會在沈父上班時到家中作客，與沈母聊天說笑。

有一次，佑霆看見母親坐在餐桌前看書看得專注，忍不住說：「媽，妳真的很愛讀書耶。」

「是啊，讀書很好啊。」沈母輕語。

佑霆趴在桌上，「我記得媽跟爸以前是同班同學，對不對？」

「對呀，我們是大學同學。」

「所以媽也是念法律的囉？」他好奇，「那妳怎麼沒想跟爸一樣當律師？」

語落，他注意到母親原本要翻頁的手，忽然微微停頓。

沈母沉默，淡淡一笑沒有回答，也沒有從書中抬起眼。

許久後回想起來，他才知道他的那句問話，觸碰到了母親從未說出口的心事。

到了國二，母親和父親之間開始有了摩擦。

佑霆十四歲那年，他注意到父母有段時間會在半夜爭吵，儘管音量不大，在房裡還是可以聽得清楚。

後來他知道，奶奶對於母親常邀請讀書會的朋友來家裡聚會感到不滿，父親居中調解不成，母親也自覺委屈，堅決捍衛交朋友的權利，久而久之，這件事不但影響到夫妻倆的感情，也讓婆媳關係有了裂痕。

一天晚上，沈父和沈母又在爭吵。正好走出房間要去上廁所的佑霆，聽到了母親的啜泣聲。

那是他第一次看見母親那樣傷心地哭泣。

兩人面對面坐在餐桌前，女人背對著佑霆，哭到肩膀不停顫抖。

「我做的還不夠多嗎？我放棄學業、放棄我的夢想嫁到你家，替你打理一切，爲什麼還必須被你媽講成那個樣子？我只是做自己想要做的事，有這麼過分嗎？」沈母泣不成聲，「若不是因爲懷了佑霆，不是你爸媽希望我留在家裡照顧家庭、照顧孩子，我現在早就跟你一樣，成爲一名律師，擁有自己的事業。就因爲有了孩子，你們就要我放棄這些，當個在背後支持丈夫的女人。我也有我自己的理想啊！

憑什麼是我得放棄？只因爲我是女人嗎？這十幾年來，我爲你們家做的還不夠嗎？我現在只是想要一點自己的空間，有這麼罪大惡極嗎？」

沈母激動地哭訴著，沈父坐到妻子身邊，將她摟進懷裡，低聲地安慰。

直到那一次，佑霆才聽見母親的心聲，也明白爲什麼之前對母親提出那個問題時，母親沒有任何回應。

是因爲他，母親才沒辦法完成自己的理想。

從一開始就是他把母親困住了。

如果沒有他，母親或許就不會這樣痛苦了。

回到房間，佑霆躺在床上，對著天花板發呆，無法入睡。

母親的泣訴，就此深深烙印在他的腦海裡，再也無法遺忘。

三年之後，沈父沈母離婚了。

雖然他們沒說，但佑霆知道，母親想帶走的其實是弟弟，只是因爲不忍再看到他遭受街坊鄰居的冷言冷語，才帶著他回到娘家。

他始終不曾問過母親，也不敢問，在她的心裡，是否曾經恨過他？

帶著無法彌補的愧疚，他陪在母親的身邊，看著她展開新生活，與另一個人相識、相戀，並再度擁有另一個家庭。

最後，他決定退出母親的生活。

他不想再讓母親想起那些傷心往事，不想再讓她爲他擔心，也決定不打擾母親的生活，不再讓她因爲自己再遭受到任何委屈。這是他唯一能彌補母親的方式。

越是深愛著家人，他就越是無法留在他們身邊，不忍再讓他們因爲他受到任何流言蜚語的傷害，所以離開。

那些充滿傷痛的回憶，就此被埋藏在心底最隱密、最深處的角落……

「你的父親是沈昱彰先生，對吧？」

「若我說對了，那你就是我大哥。」

直到那個女孩的出現。

當他看著眼前的陌生少女，並從她口中聽見她喚出「大哥」，那一刻，不知爲何，那沉寂且平靜多年的心湖忽而出現一絲淡淡漣漪。

他以爲，「家人」這個詞，對他而言已經非常遙遠。但這一次，他發現那種感覺竟在不知不覺間漸漸回來了。

無論怎麼擱置，無論怎麼用時間淡化，身邊有人陪伴的溫暖，終究是他內心深處的渴求。

因爲那個人的出現，他才終於知道自己到底是誰。

在她面前，他可以是誰……

★

「大哥，這是你寫的？」紀唯手裡拿著一本簿子。

「那是什麼？」正在整理櫃子的佑霆抬頭問。

她把內頁轉向他，一整面的稿紙，裡頭有著滿滿的鉛筆筆跡，以及用紅筆打上的分數跟線條。

「你小學時的作文簿。」紀唯眸裡含笑，「三年四班，沈佑霆。」

佑霆呆愣片刻，才問：「妳在哪裡找到的？」

「這裡呀，就放在最底下。」她指指桌上的盒子，是他剛才整理出來的，「你怎麼會留著這本作文簿？」

「不曉得，我自己都不記得有這本。」他莞爾，回頭繼續整理。

紀唯打開翻閱，在某一頁停下，驚喜道：「這一篇拿到『優』耶！我看看……題目是『我的家人』。」

她緩緩念了起來：「我有一個很幸福的家，也有全世界最棒的家人，我的爸爸是一名律師，媽媽是家庭主婦，我還有一個弟弟，雖然還沒出生，但我每天都很期待能快點見到他……」

聽到作文的內容，佑霆停下手邊的動作，不自覺靜靜聽下去。

「我最大的願望，就是希望我們全家人可以一直幸福下去，」紀唯低語：「永遠在一起。」

當紀唯念完整篇文章，佑霆好一會都沒有反應，慢慢地揚起嘴角。

紀唯也沉默下來，帶著作文簿坐到他身旁，「大哥，看不出來你挺會寫的。」

「也只有這一篇而已，其他都不能看。」

紀唯輕笑，將頭靠在他肩上，「我很喜歡，這一篇非常棒。」

他眸一轉，與女孩四目交接，不久將視線轉回原處，「謝謝。」

她盯著他一會兒，「大哥，你知道我幾歲了嗎？」

「二十三啊，怎麼這麼問？」

「你也知道我二十三歲了，可是你對我的態度還是跟以前一樣，完全沒變。」她戳戳他的臉頰，「所以我今天其實很、不、高、興喔！」

「為什麼？」他不解。

「上午我們去買東西的時候，店裡的老闆娘問我是你的誰，你是怎麼回答的？」

他一頓，很快想起，「妹妹。」

「哼，原來在你心裡我只是妹妹？你還把我當成小女孩？所以直到現在還是對我這麼小心翼翼。」

明白她不開心的原因，佑霆失笑，「當然不是，我只是……」

「給你三秒，解釋清楚。」她雙眼微瞇，「否則我就要偷襲你了。」

「什麼？」

見他傻住，紀唯噗哧一聲，將臉湊近他，主動吻上他的唇。

紀唯的舉動，讓佑霆登時愣然不動，半晌，他緩緩將一隻手繞到她頸後。

兩人輕輕地吻著，紀唯不自覺將身子往後傾，他伸手扶住她的後腦，輕柔地讓她躺下。紀唯也將雙手繞至他頸後，加深了吮吻。

兩人緊緊相貼，連對方快速的心跳，都可以清楚感受得到。

那段童年記憶，以及從前的那一篇作文，曾是他最珍貴的回憶，文末的最後幾句話，也曾經是他最大的願望。

到了現在，他唯一的願望，就是希望懷中的女孩可以永遠留在他身邊，在往後的日子裡，他都能一直看見她的笑。

僅止於此，別無所求。

當下唇傳來一陣刺痛，他立刻從這吻中回過神。

突然咬他一口的紀唯，雙頰紅潤，調皮地說：「這是給大哥的懲罰，看你下次還敢不敢？」

他呆了呆，接著輕笑，伸手捏捏她的鼻尖，並主動落下一吻。

但願這一份幸福，這一份願望，能從這一刻開始，永遠持續下去。

番外二

啊，有流星！犬系二哥的願望

那一天的佑嘉心情很不好。

看著老師在黑板上寫下作文題目，他呆坐在位子上許久，遲遲沒有動筆。

他沒寫，也不肯寫，因此被老師責罵，平時愛欺負他的同學也跟著嘲笑他。

他悶悶不樂地走回家。經過小巷時，他往裡頭看了一眼，腦袋裡想起哥哥對他說過的話——

「答應哥哥，以後別再躲在巷子裡哭了，好不好？」

他頹喪著臉，吸吸鼻子，一邊踢著石頭，一邊回到家裡。

只有一個人的家。

「怎麼了？佑嘉？」當天晚上，沈父看著老師在聯絡簿上留下的話，納悶地問：「爲什麼你不肯寫作文呢？」

佑嘉低頭絞弄著手指，不發一語。

「你之前的作文作業都有乖乖寫，爲什麼這次不交？是不是有什麼原因？跟爸爸說。」

佑嘉抿抿唇，用委屈的聲音回答：「我不喜歡這次的作文題目。」

「是什麼題目？」

「『我的家人』。」

「這題目很好呀，爲什麼不喜歡？」

「因爲現在家裡只有我跟爸爸，哥哥跟媽媽都不在，我不知道要怎麼寫……」

沈父沉默下來，摸摸他的頭，溫柔地說：「好，沒關係，晚一點爸爸陪你寫，好不好？」

那是在佑嘉的父母離婚，母親與哥哥離家一個月後的事。

每當他放學回家，面對空無一人的屋子，滿滿的寂寞和失落襲來，讓他坐在沙發上什麼事都不想做，只能拿著壘球跟手套發呆。心情不佳的時候，他更是想著想著就淚眼婆娑。

他好想再跟哥哥玩傳壘球。

★

「佑嘉，爸爸有話跟你說。」

佑嘉國三的那一年，他在客廳看電視，父親忽然坐到他身邊。發現父親的神態異常認真，佑嘉忍不住好奇，「什麼事啊？」

「那個……」他清清喉嚨，難得變得侷促且猶豫，「這個星期六晚上，跟爸爸一起出去吃飯吧？爸爸想介紹一個人給你認識。」

「誰？」

「就是……」見他再度躊躇，佑嘉先答：「老爸，你該不會有女朋友了？」

「你怎麼知道？」沈父大吃一驚。

「之前我借用你的手機，看到相簿裡的照片，是個長得很漂亮的女人，該不會就是她吧？」

沈父被問得臉紅，點頭坦承，「對，沒錯。」

「我就知道。」

「所以你願意嗎？只是吃個飯。我經常跟她說你的事，她就說很想見見你……」

「好啊，沒差。」他爽快回。

「真的？那就好。」兒子的回答，讓沈父放下心，一臉高興。

雖然佑嘉答得乾脆，但聽見父親開口時，他的心裡還是有些意外。

父親事業有成，女人緣也不錯，可自從與母親離婚，他幾乎不曾聽父親提過別的女人的事，或是看見他和誰走得近。也許有，只是他不知道，但他也沒想過問太多。

因此父親如此慎重地開口，還說要介紹對方給他認識，完全是頭一遭。佑嘉沒想到，那個單身多年，總是忙於工作的老爸，居然真的有喜歡的對象了。

到了星期六晚上，他和那個人正式見面，內心又是一陣吃驚。

父親的女友叫任筱琴，在一家化妝品公司上班，本人比照片更漂亮，看起來相當年輕，若不是父親提起，他根本猜不到她只小父親六歲。

「佑嘉，阿姨有一個女兒，小你一歲。」女人對他說。

「嗯？是喔？」他吃著義大利麵，訝異她居然有個這麼大的女兒。

「是啊，她叫紀唯，紀念的『紀』，唯一的『唯』，個性跟你一樣活潑，可惜你們不是讀同一所國中。」

這位與他年紀相仿的女孩，讓佑嘉不禁好奇了起來。

這頓晚餐吃下來，佑嘉和任筱琴聊了很多，相處也十分融洽，讓他對她的印象很好。而且父親與對方在一起後，看起來也比以往更快樂，因此他不反對兩人交往。

在那之後，他們偶爾還會一起吃飯，任筱琴時常分享紀唯的照片給他，也告訴他更多女兒的事。

那時的佑嘉雖然對紀唯感到好奇，但還不到在乎，因爲他不確定父親與筱琴阿姨會交往多久，也許他未必有機會親眼見到女孩。

直到他升上高二，得知紀唯進到他們學校，他才留意起她。

開學的那一週，爲了歡迎新生，學校特別舉辦了一場運動會。

田徑賽開始的前一刻，他和同學邊吃東西邊觀賽，在一群選手中發現一張帶有幾分熟悉的面孔。

那個女生綁著馬尾，站在起跑點。

槍聲響起，所有選手向前狂奔，他的目光就此停駐在她身上，再也移不開。

「哇，那個十七號好厲害！」身旁傳來驚呼。

馬尾女孩早已遙遙領先，她的速度讓在場許多人驚豔不已。她以第一名之姿抵達終點的瞬間，現場的歡呼聲隨之響起。

「那個女生是誰？太強了！」

眾人議論紛紛一會兒後，佑嘉就聽見前面的男生對身旁的同學說：「我知道她，那女生是一年級新生，叫任紀唯。是我妹的國中同學，聽說她之前就在校際賽中拿到女子組冠軍。」

「怪不得這麼厲害，那速度也太可怕了！」

佑嘉聽得目瞪口呆，這才終於想起，那個馬尾女孩，就是筱琴阿姨的女兒，任紀唯。

當紀唯上台領獎，笑得一臉燦爛，這一刻，沒來由的激動與榮耀感，自佑嘉心底油然而生，彷彿站在台上的人是他。

雖然曾聽筱琴阿姨說過她女兒擅長跑步，但親眼看見紀唯跑步的樣子，他不由得深深被震撼住，打從心底崇拜對方。

如果父親跟筱琴阿姨交往順利，甚至結婚，像她這樣出色的人，不就會成爲他的「家人」了？

腦海裡出現這個念頭，佑嘉的心裡同時浮起一絲驕傲與喜悅。

後來，隨著父親的感情生活越發順利，他也越想認識紀唯。在學校跟紀唯擦肩而過時，他都不由自主地多看她一眼。

幾次的接觸，從她的視線，他看得出對方同樣知道他，可是每次他想跟她說話，紀唯卻總在下一秒就離開，彷彿在躲著他。雖然不曉得原因，但性情單純的佑嘉沒有想太多。

和筱琴阿姨吃飯時，他也希望能看到紀唯出席，可惜始終見不到人。直到父親確定要跟阿姨結婚，他們四人首度共進完餐，他與紀唯才正式見面。

「我和你明明沒交集，你就已經把我當家人？這是你說『決定要做』，就可以做到的事嗎？你一點都不覺得不妥，也完全不會介意？」

她對他提出了質疑。

她這麼一問，他才意識到，不知從何時開始，他已經完全接納了任筱琴與紀唯，就算最初有些疑慮，他還是眞心接受她們成爲家人。

他也發現，這其中的原因，終究還是紀唯。

因爲他喜歡紀唯、欣賞紀唯，才眞心覺得和她成爲家人，是一件很驕傲的事。

除此之外，內心深處的某個聲音也告訴他，若能讓總是冷冷清清的家裡多些聲音，變得更熱鬧，那也很好。

他是眞的這麼想。

他們住在一起後，回到家，即使紀唯不怎麼理睬他，但家中不再只有他一人，會有人跟他說話，這讓他的心裡有種淡淡的滿足與安心。

他很確定，就算紀唯討厭他，不想跟他待在一塊，也沒有關係，只要她和筱琴阿姨不會離開，這個家不會再安靜下來，這些都無所謂。

然而，紀唯因爲他們的同居關係遭到男友誤解，還被一堆亂七八糟的謠言中傷。這一刻，眾人對紀唯的批評，讓他心裡浮上似曾相似的感受。

「妳看，那就是他們家的小兒子。」

「虧他還是個律師，連自己小孩都管不好，現在居然弄出人命了。」

「那個大兒子也很誇張，居然一天到晚都在半夜跑到那麼危險的地方去，會出事本來就是遲早的事……」

當年母親與哥哥離開後，他走在路上，常會聽見街坊鄰居的冷言冷語。

他感到悲憤、不甘心，卻什麼也不能說。

再難過，他在親戚和同學面前，還是必須看別人的臉色，把苦嚥下，裝作什麼都不知道。懦弱的他，只能當一隻鴕鳥，連阻止那些人胡亂發言的能力都沒有。

在父親面前，他也只能選擇裝傻，藏好那些心情，當個不讓爸爸擔心的好兒子。

如今，再次看見「家人」遭到這樣的惡意羞辱，他無法再忍耐，也無法坐視不管。

更讓他難過的是，平時總會罵他的紀唯，卻完全沒有責怪他半句。

然而，她與男友分手後，躲在房裡哭得淒厲，這讓佑嘉心裡對她的愧疚更深。

他看見她的堅強，也看見她的脆弱。

沒想到，這一次的事件，意外讓他與從前的家人重逢。

與多年不見的哥哥再見面，固然讓他狂喜，但他心裡更在意紀唯的事，急著想要爲她做些什麼，希望能有什麼事是他可以幫得上忙的……

「感覺你很喜歡紀唯。」

「你就仔細想想，怎樣做對她才是最好的。想清楚後就去做吧。」

他的這份心情，哥哥也看出來了。

雖然他不想再做出讓紀唯生氣的事，可是他更不忍看她深陷於被排擠的痛苦深淵。

深深思考著哥哥說的話，他最終還是決定將紀唯在學校發生的事，一五一十告訴父親及筱琴阿姨。

只要他可以靠自己的力量保護她，不讓他的家人繼續受到傷害，即使從此被紀唯討厭，他也願意承擔。

後悔過一次，他就不想再後悔第二次了。

★

「欸，沈佑嘉。」

有天，他跟紀唯坐在一起看電視，紀唯問起：「你有壘球手套嗎？」

「壘球手套？有啊。」

「你有幾副？」

「兩副，哥以前的手套我還留著……」他納悶，「怎麼了？」

「我們來玩傳壘球，好不好？」紀唯提議，「就像你以前跟大哥玩的時候一樣，來玩吧。」

那是在紀唯即將出國的前一天。

哥哥的婚禮在即，她卻沒有留下來喝喜酒，反而選擇在那時前去洛杉磯的阿姨家。

雖然他沒有多問，也沒有從筱琴阿姨那邊打聽原因，但直覺告訴他，這一切跟佑霆哥有關。

他很早就看出來，哥哥與紀唯的感情很好，也知道某些事情，紀唯只會跟哥哥說，這讓他不由得感到一陣失落。

比起他，或許哥哥更讓她覺得可靠、值得信任吧？

「你之前說，你小時候被欺負時，大哥就會跟你玩這個。」兩人戴上手套站在公寓門口，紀唯問：「就在這裡嗎？」

「對啊。」

「那時候他都叫你……」她嘴角一勾，「『小鬼嘉』，對吧？」

聽她那樣叫他，佑嘉愣了愣，心口莫名顫動了一下。

紀唯快步跑到對面，與他隔著一段距離，在夕陽下高舉手套，朝他喊：「開始吧，小鬼嘉！」

那一刻，紀唯的身影，與當年哥哥的身影重疊了。

好不容易回過神，他回應一聲，將球丟了過去。紀唯一接到，忽然低頭盯著壘球看，納悶地問：「球上面的名字，是誰呀？」

「呃，那個……」他頓了頓，「那是以前愛欺負我的同學。有一次我跟哥玩，他叫我把那些人的名字寫上去，丟球時再把想罵他們的話都罵出來。」

「原來是這樣，挺有意思的。」她笑了笑，把球丟回去，「那你罵罵看吧，我想知道你當時是怎麼罵的。」

「我不記得了啦，我連那些人的名字都忘記了耶！」

「你球上有寫啊！一個叫張翔，一個叫李胖呆。你罵了什麼？罵幾句聽聽看吧。」

面對紀唯的要求，佑嘉有些不好意思，盯著球片刻，將球丟過去，喊道：「臭胖子！」

「你說什麼，我聽不到，大聲一點！」紀唯喊。

「大聲點，想像球就是欺負你的人，狠狠丟。」

過往的熟悉情境重回眼前，不知爲何竟讓他喉嚨微微一緊。

「臭胖子，死胖子！」他再度喊道：「我詛咒你走路走到一半，就掉進水溝裡！」接著，他大聲補充，「然後，被車子撞！」

喊完的下一秒，他看見紀唯噗哧一聲，開懷地大笑。

在夕陽餘暉的照耀下，她的笑容十分燦爛耀眼，佑嘉一時懷疑是自己看錯，還是她真的對他那樣笑？

「沈佑嘉。」紀唯開口：「對不起喔！」

「啊？爲什麼道歉？」他詫異。

「因爲，我又害你們爲我擔心了，對不起。」她真摯地說：「謝謝你，二哥。」

佑嘉呆住。

「這是我第二次叫你『二哥』囉！」

「什麼？眞的假的？第一次是什麼時候？我怎麼沒印象？」他趕緊追問。

「不告訴你。」紀唯哈哈笑。

佑嘉已經很久不曾像現在這樣感動和激動了。

這一聲「二哥」，讓他不禁回想起小時候寫不出來的那篇作文。

曾經失去過的溫暖、離別帶來的悲傷，他希望那些痛，今後都不會再有。

他渴望再次看到紀唯對他露出這樣的美好笑容，成爲讓她打從心底信任的對象。

即使他總是笨手笨腳、狀況連連，他仍希望讓她知道，不管發生什麼事，他都會站在她這一邊，當她的後盾，做她強而有力的家人。

永遠在她身邊，支持著她。

番外三

啊，有流星！鯨魚女孩的願望

走出公司大門前一刻，一道清亮女嗓叫住沈佑嘉。

他一回頭就看見何詩詩對他揮手，身旁還跟著一個男人。

她對沈佑嘉輕輕眨了下右眼，回頭跟對方說：「跟你介紹，他是我摯友的哥哥，沈佑嘉，他的公司在六樓。我今天跟他約了吃午餐。」

「哦，之前搭電梯時，好像有見過幾次……」男人揚起略為尷尬的笑容，對沈佑嘉點頭致意，「那我不打擾你們，下午見！」

男人離開後，何詩詩用手肘推推沈佑嘉，讚賞道：「不錯嘛，你居然能明白我的暗示。我還以爲你會當場揭穿我，說我們兩人沒有約好。」

「爲什麼妳覺得我會揭穿妳？」他不解。

「紀唯說你很單純啊！心裡想什麼就會說什麼，感覺是一言不合就會跟上司吵起來的類型。她很擔心你有一天會惹上麻煩。」

「剛出社會時的確是這樣啦，但我也二十五歲了，若還這麼白目，沒辦法混到現在吧？」

「說的也是，感覺得出你被社會磨練得不錯！」何詩詩開他玩笑，「這是我換工作到這裡後第一次碰到你，要不要一起吃個飯？」

「我沒胃口，打算買杯咖啡就好。」

「怎麼了？你不舒服？」

「我這個月在處理一個棘手的大案子，目前陷入膠著，每天都在加班，焦慮到吃不下也睡不好。」他疲憊地按摩眉眼。

「怪不得你黑眼圈很深。這種時候更應該好好吃飯，走吧！」不給他拒絕的機會，何詩詩抓著他走。

附近的餐廳都已客滿，他們最後在連鎖速食店用餐。

沈佑嘉撐著沉重的腦袋，慢吞吞咬下手中的牛肉漢堡，問起剛才跟她一起的男人，「妳跟關祈灃很好？」

「你怎麼知道他的名字？」何詩詩好奇，吃下一口沙拉。

「搭電梯時有遇過，看過他識別證上的名字。」

「唉，他眞的很煩……一直想要約我，就算知道我有男友也不收斂，似乎覺得我男友人在國外，他有機會趁虛而入。要不是我還有很多事需要他協助，早就轟人了！」她深深皺眉。

「哼，就知道他不是什麼好東西。」沈佑嘉不屑地說。

「怎麼說？我有注意到你剛才看他的眼神很冷漠，他有惹到你？」

「這倒沒有。只是，他讓我想起一個討厭的人，看他就不順眼。妳說的話，讓我更確定我的直覺正確，他果然是會讓人倒胃口的傢伙！」

「你說的是誰？我認識嗎？」

「妳記得紀唯高中時的男朋友嗎？跟我同屆的關旭彥。他不是曾跟紀唯的同學一起欺負她嗎？我在電梯裡遇到關祈灃好幾次，看他的氣質和說話方式，就覺得跟關旭彥很像，他們兩人還同姓氏，感覺更惹人厭了！」

何詩詩「噗」的一聲笑出來，「這麼久以前的事，你還在介意啊？看不出你是會記仇的人！」

「也不是這樣。其實我未必會記得得罪我的人，但欺負我的家人，我就會記很久。我也是在認識紀唯之後才發現我會這樣，所以不光是關旭彥，當年背叛紀唯的楊心璦跟蔡以鈞我也記得，而耍心機陷害紀唯的游佳菱，更是一刻也沒忘記！」

「哇，還好我跟紀唯後來變好姐妹，不然可能也會變成你的眼中釘，畢竟我一開始跟紀唯也處不來，還會找她麻煩。」

「不會啦，我很慶幸那時她轉到妳班上，只有妳不畏謠言，繼續跟紀唯來往。我對妳心懷感激。」

「不敢當不敢當。紀唯眞幸福，有兩個這麼爲她著想的哥哥。」何詩詩拿起冰茶跟他乾杯，「聽你提起這些人，我也想起當年的事了。你後來有再見過他們嗎？」

「紀唯離開台灣的第二年，我有遇過蔡以鈞一次。他主動來跟我說話，那時我才知道，紀唯有通知他跟楊心璦她要去洛杉磯的事，三人也因此恢復聯絡。蔡以鈞有爲當年的事跟我道歉，對於自己在紀唯最痛苦的時候棄她不顧，他似乎也耿耿於懷。既然他們重修舊好，我也就不那麼在意了。可我至今還是很不爽關旭彥跟游佳菱，他們是最令我火大的，最好別被我遇到！」

「年輕不懂事，本來就容易犯錯嘛！但我理解你的憤怒，游佳菱後來也有嘗到惡果，應該能讓你解解氣吧？」

「有這回事？什麼時候？」

「我大一時聽跟游佳菱同校的朋友說，她得罪到一群可怕的學長姊，被欺負得相當慘，隔年就轉去別間大學，再也沒了消息。我就知道她那種蛇蠍心腸，總有一天會踢到鐵板。我有告訴紀唯這件事，她沒跟你說？」

「沒有，她不是會幸災樂禍的人吧？謝謝妳告訴我，我確實覺得很痛快，若再聽到關旭彥的衰事，我會更開心。」

「哈哈，別這樣啦！紀唯跟我聊過關旭彥，她說關旭彥當年就跟她道歉了。既然紀唯早就不在意，你也別再介懷了，對你沒好處。」

「是啊。」他無奈地嘀咕：「因爲目睹過紀唯被欺負，我對類似的事很敏感。有次太衝動，還做錯事。」

「你做錯什麼事？難不成你欺負別人？」

「不是啦！我不小心誤會一個女高中生，現在覺得很懊悔。」

「喔？說來聽聽。」

看一眼面露好奇的何詩詩，沈佑嘉嘆息，開口娓娓道來——

那是發生在去年春天的事。

某天傍晚，下班的沈佑嘉到超商購物，出來後聽見旁邊傳來激烈的爭執聲。

三名女高中生站在人來人往的街道上，其中兩人身穿名校制服，另一人則穿著普通高中的制服。

普通高中的短髮女孩，和一名體態豐腴的名校女孩站在一起，她無視周遭路人的目光，對著眼前被她逼到牆角，面露懼色的長髮女孩破口大罵。

長髮女孩發抖哭泣，試圖對她辯解，短髮女孩卻猛推對方的肩膀，使長髮女孩失去平衡，撞上牆壁，發出痛呼！

眼看短髮女孩的手掌又要往對方身上揮落，沈佑嘉上前抓住她的手腕，大聲喝止：「住手，妳想把人打傷嗎？」

短髮女孩轉眸對上他的眼睛，口氣沒有一絲溫度，「關你什麼事？」

女孩的傲慢態度激怒了他，他當場疾言厲色訓斥，「妳在大庭廣眾下打人，跟流氓有什麼不同？霸凌別人很開心嗎？欺負弱小並不能證明妳很厲害，只證明了妳無能。從妳的行為就知道妳沒羞恥心，更沒家教，是個可悲到令人同情的小鬼！」

面對他嚴厲的指責，短髮女孩眼神冷漠，沒有出言反駁，僅跟著友人轉身離開。

哭得可憐兮兮的長髮女孩，笑著謝過沈佑嘉的見義勇爲。看見對方臉上的安心笑容，他很是滿足，覺得自己做了一件正義的事。

翌日，沈佑嘉和朋友在百貨公司裡的咖啡廳聊天，意外遇上昨日與短髮女孩同行的女生，而對方也認出了他。

女孩直直向他走來，讓他感到疑惑又驚訝。

女孩緊繃的神情，顯示出她內心的緊張，她彷彿是鼓足勇氣才決定來到他面前。

「你昨天誤會我的朋友了。」女孩用柔弱卻堅定的語氣說：「你當時維護的那個女生，才是眞正的霸凌者，她長期欺負的對象就是我。我的朋友會教訓她，是因爲她不知反省，還出言挑釁，她才會氣得動手。」

像是怕他不信，女孩掏出手機，給他看某個群組裡的對話。

對話中有這名女孩的照片，底下的每一句話，全是對她身材和長相的羞辱，一句比一句更尖酸惡毒、不堪入目，沈佑嘉讀得背脊發涼。

「就是那個女生把我的照片放到群組裡的。她每天在學校偷拍我，分享到這裡，跟其他女生一起嘲笑我，所以我朋友才想替我討公道。我朋友還擔心有路人會錄下我們的影片公布在網路上，會害我遭受更多批評，不肯讓我插手。杏純人很善良，比誰都保護我，絕不是你說的那種沒羞恥心、沒教養的女生！」

一口氣說完，女孩紅著眼睛落下結語，「我只是想讓你知道事情的眞相，希望你別誤解我朋友。抱歉打擾了。」

沈佑嘉呆若木雞地望著她離去，久久說不出話。

「原來如此，你很介意吧？不然不會記到現在。」何詩詩推測。

「對啊，我沒料到事情會是這樣。想到被我誤會的女孩，最後看著我的眼神，我就覺得丟臉至極。她一定會覺得我是個只看表面的愚蠢男人。我還對她說了那麼難聽的話，很難不介意。話說回來，被我幫助的那個女生，做出那麼惡毒的事，居然還表現得像個受害者，哭得楚楚可憐，再笑著跟我道謝。想到那八成是演的，我就全身發麻，現在的小女生眞可怕！」

「別太自責啦！這不能怪你，女孩的心機可不分年紀，不能小看。」何詩詩安慰他，「你若眞的那麼在意，怎麼不去跟對方道歉？」

「我還眞的想過要這麼做，雖然知道她的學校，也依稀記得她叫『ㄒㄧㄥˋ ㄔㄨㄣˊ』，但突然跑去學校找人好像怪怪的，感覺更容易被誤會。而且如果她已經畢業了呢？想到最後，我放棄這個念頭，只希望她沒有把我說的話放在心上，當我是笑話就好。」

沈佑嘉喝光一杯咖啡，還是頻頻打呵欠，將這一幕盡收眼底的何詩詩失笑，「你累成這樣，確定今天還要加班？早點回去休息吧。」

「進度沒順利達成，我回家也睡不好，所以我今晚會去我哥那裡，不然可能撐不過明天。」

何詩詩還沒理解這句話，沈佑嘉同事打來的緊急電話，打斷了兩人的對話。

掛上電話，沈佑嘉跟何詩詩打個招呼後，就帶著未吃完的午餐回公司。

晚上九點，紀唯帶了豐盛的宵夜來到方佑霆家。

看著還穿著襯衫，躺在暖爐桌前呼呼大睡的沈佑嘉，她輕聲問身邊的男人：「要叫他起來吃宵夜嗎？」

「讓他睡吧，他也是剛剛才到，躺下不到一分鐘就睡著，看來真的好多天沒睡好了。」方佑霆回答。

「真奇怪，他的租屋處明明離公司最近，幹麼還要大老遠跑來這裡睡？在自己家休息不是更舒適？」紀唯不解。

「好像跟他近日工作碰到嚴重瓶頸有關。佑嘉個性單純樂天，從小就不太容易焦慮，但只要陷入這種情緒，他就會出現睡眠障礙。像我爸媽以前吵架，他非要我在身邊才能睡得著。剛才我們聊沒幾句，他就失去意識，我甚至還來不及叫他換下衣服。」

紀唯噗嗤一笑，「所以大哥的聲音，就是能讓他安穩入眠的特效藥。明明已經是個大人，還跟小孩子似的，該不會他以後交了女朋友，還是這個樣子吧？」

「不知道，但我也希望佑嘉早點遇到能讓他放鬆身心，在身邊能安穩入睡的好對象。」方佑霆伸手摸摸弟弟睡亂的頭髮，唇角高高翹起。

★

在哥哥家好好補眠的沈佑嘉，隔天恢復了些許精神，回到繼續加班的日子。

肚子發出了巨響，他才想起午餐跟晚餐都沒怎麼吃。

時間已近晚上九點，工作仍沒多大進展，他無奈地關上電腦，決定明天再努力。

飢腸轆轆的他，到公司附近的一間義式餐廳用餐。

他跟同事偶爾會來這間店吃午餐，因此跟店長變得熟稔。不過，這時間光顧還是第一次。

點了一份泡菜雞肉焗烤飯跟一碗酥皮濃湯，他在座位上意興闌珊地滑手機。此時，一名年輕的女店員送上餐點，他不經意瞟了對方一眼，視線就此停住。

女孩深邃的沉靜眼眸，讓他感覺似曾相識。

「餐點到齊了，請慢慢享用。」戴著口罩的女店員說完就轉身離開。

莫名的熟悉感受，讓沈佑嘉移不開眼，直盯著人瞧。

店長注意到他來用餐，過來跟他打招呼。急欲想知道答案的沈佑嘉，藉此機會問起那女孩的事。

「她叫曾杏純，是這個月開始來打工的大學生，做事俐落又很細心。怎麼了？」店長問。

聽到女孩的名字，沈佑嘉一度陷入呆滯，也終於明白熟悉的感受從何而來。

居然有這種巧合，昨天才跟何詩詩說想再見到那個女生，現在就出現一個疑似是她的女孩。他心跳加快，起了身雞皮疙瘩。

正思考下一步要怎麼做，店長突然低聲問：「你等等搭捷運回去對吧？能不能幫我一個忙？」

「什麼忙？」

「杏純快下班了，我想請你陪她到捷運站。最近好像有個男客人會跟蹤她，現在他也在店裡。平時我太太會護送杏純，但她今天不在，我又走不開。我不放心讓杏純一個人回家。」

「好啊，交給我。」他一口答應。

「謝了，那我去跟杏純說一聲。」店長感激地拍拍他的肩膀，然後離開。

沈佑嘉繼續用餐，不久，曾杏純過來幫他添加杯子裡的水。

「沈先生，我可以自己去捷運站，你不必特地送我。」女孩用平板的聲音說。

沒料到她會直接過來拒絕，沈佑嘉看著她，「讓我送妳吧，我剛好有話要跟妳說。」

女孩的眼神透出一絲困惑，卻也沒再拒絕。

離開餐廳前，沈佑嘉順著店長的視線，瞥向疑似是跟蹤狂的客人，是一名目測三十幾歲的男人。

前往捷運站的途中，沈佑嘉發現那男人隔著一段距離尾隨他們。他立刻停下腳步，回頭狠狠瞪視對方，並拿出手機錄影蒐證，男人馬上跑進旁邊的巷子，不見蹤影。

跟蹤狂跑走後，女孩對他說：「謝謝你。」

「不用客氣啦。那傢伙什麼時候開始跟蹤妳？」

「這禮拜開始。」語落，曾杏純繼續說：「請問，你想跟我說什麼？」

「嗯……妳能不能拿下口罩？因爲我想確認一件事。」

女孩納悶，伸手拉下口罩。

看清女孩的清秀面容，沈佑嘉笑了，「果然是妳。」

「什麼？」

他跟她說起一年前的那起烏龍事件。

「聽完妳朋友的解釋，我才知道我誤會妳了。沒弄清楚狀況就痛罵妳一頓，眞的對不起。」沈佑嘉不好意思地摸摸頭，「妳應該不記得了吧？」

「對，我不太記得了，但你這麼一提，我就有印象了。我不知道我朋友有去跟你解釋……」曾杏純平靜的面容有了變化，語帶詫異，「你一直記得這件事？甚至還能認出我？」

「是啊，不知道爲什麼，我很難忘記妳那時看我的眼神。雖然妳戴著口罩，頭髮也變長了，可我一看到妳的眼睛就覺得很熟悉。當我知道自己錯怪妳，就很擔心我說的那些話會深深傷到妳，希望能親自跟妳道歉。沒想到，妳就在我常去的餐廳打工，實在很巧。若不是對妳的名字有印象，我應該也不會認出妳！」

見沈佑嘉的態度如此率眞，女孩的臉上閃過一抹不知所措的情緒，「沒關係，我不介意，早就沒放在心上了。」

「那就好。妳的朋友後來怎麼樣？有再被那女生欺負嗎？」

「沒有，我阻止對方了。」

「妳怎麼做的？」

「就……很簡單，我偷偷聯繫我朋友的家人。她始終不敢讓父母知道她發生的事，但是她的家人們其實都很明智，也很關心她，所以我深信他們有能力解決。我那麼做之後，情況果眞有所好轉，我朋友轉了班，並安穩地畢業，現在人在國外念書，過得很不錯。」

沈佑嘉臉上的笑意更深，「太好了，不管怎麼樣，終究是妳幫了她。她有妳這樣的朋友眞幸運！」

曾杏純微怔，下意識避開他的眼睛。

正要進捷運站，突然一陣天搖地動，反應快的沈佑嘉，迅速將女孩拉到安全的區域。

周遭一陣騷動，驚慌聲此起彼落。

地面的晃動在十秒鐘後平息，沈佑嘉拿出手機查看，驚呼：「哇，東部發生七級地震，怪不得搖得這麼大力！」

才剛說完，地面又再一次晃動，這波威力不小的餘震，讓幾個女路人叫得更大聲。

地震停下後，沈佑嘉跟曾杏純在原地觀察，都沒有餘震再出現，鬆了口氣。

看著網路新聞的最新消息，沈佑嘉告訴女孩，「捷運停駛了，可能不會馬上恢復通車。妳要等嗎？還是去搭公車？」

「我想等捷運恢復通車，沈先生若想搭其他車回去，就先走吧。那個男人已經跑了，你送我到這裡就可以了。」

儘管女孩這麼說，沈佑嘉還是沒辦法在這時丟下她，畢竟他也不確定跟蹤狂是否真的離開了。要是對方還在附近徘徊，女孩的落單還是會有危險，他無法跟店長交代，心裡也會不安。

「沒關係啦！我跟妳一起等，反正現在路上八成也在塞車，等捷運重啟說不定還比較快。」

聽沈佑嘉這麼說，女孩便沒再開口。

在捷運站內等待通車的這段時間，沈佑嘉的家人群組裡不時傳來訊息。跟家人報平安後，他很快注意到一件事——從地震發生到現在，曾杏純似乎一次也沒拿出手機，也沒聽見她的手機在響，她只是捧著一本簿子認真閱讀。

難道她不需要跟家人朋友報平安？沈佑嘉有些疑惑。

二十分鐘後，捷運恢復通車，沈佑嘉問她要搭乘的路線，發現兩人方向相同，便一起走進車廂，並肩而坐。

看見專注閱讀的曾杏純不時眉頭深鎖，他忍不住關心，「妳怎麼了？」

女孩抬眸，略顯疲憊地回答：「我在準備下週的期中考。有個老師的課出了名的艱澀難懂，不管怎麼讀，我都抓不到重點。」

「那你們考試時不就慘了？」

「不，之前的考試，全班就只有我不及格。」

「咦？那妳爲何不找同學幫忙？」

「沒有人會幫我。」曾杏純平靜地回：「一年前跟我起衝突的那個女生，後來變成我的大學同學。她有辦法聯繫上幾個功課不錯的學長姊，讓這科的分數拿到六、七十分。而她爲了報復我，利用這一點煽動大家孤立我，爲了順利拿到學分，大家只好聽她的話。」

兩人後來竟變成同學，這是什麼惡作劇般的玩笑？沈佑嘉瞠目結舌。

望著女孩煩惱的側臉，他問：「筆記可以借我看一下嗎？」

接過女孩遞來的筆記，沈佑嘉低頭認眞翻閱，連夾在內頁的講義也一起讀。

「呵呵。」他突然間笑了起來，曾杏純愣住，「怎麼了？」

「這個老師上課有沒有使用教科書？」

「沒有，只有這些講義。」

沈佑嘉拿出手機查了什麼後，接著問：「這一科什麼時候考？」

「下週四。」

「妳明晚有打工嗎？」她點了頭，沈佑嘉接著說：「好，今天這科妳先別讀了。明晚八點幫我留一個位子，我過去之後，妳再借我筆記跟講義。」

還回筆記，捷運剛好到站，沈佑嘉背上包包站起身，「我改在這一站下車。剛剛我留意四周，那個跟蹤狂應該沒跟來，但妳還是要嚴加謹慎。回去路上小心點，明天見！」

沈佑嘉對她揮揮手，走出車廂，快步前往轉車的月台。

★

沈佑嘉準時在晚間八點走進餐廳，見狀，曾杏純上前帶位。記下他點的餐點，再把筆記本交給他，她就回去工作。然而，她的注意力卻常常被他吸引走，不時悄悄注意對方的動靜。

沈佑嘉埋頭一邊翻閱筆記，一邊用筆跟便利貼，在他帶來的書上反覆做記號。

曾杏純下班時，沈佑嘉把筆記本和那本頗有重量的書籍一起交給她，「妳不必再苦讀這些講義跟筆記了，只要把這本書裡用便利貼標示的地方讀熟，這一科就沒問題了。若今天就開始準備，我想應該還來得及。」

他對著滿臉懷疑的女孩笑得神祕，「妳就當作是被我騙，照我說的試試，保證不會後悔。期中考加油！」

那日之後，曾杏純有一陣子沒見到沈佑嘉來餐廳。

某個又加班到九點多的日子，掛著倦容的沈佑嘉到餐廳吃宵夜。

店長笑著上前接待，「你可終於來了！」

「怎麼了？」

「你還記得杏純嗎？她想要找你，但她今天沒班。她說如果你有來，務必通知她，我可以跟她說嗎？」

他這才想到，女孩的期中考應該結束了，「好啊。」

二十分鐘後，曾杏純抵達餐廳。

她雙頰紅潤，呼吸急促，像是跑著趕來。沈佑嘉大吃一驚，「妳該不會直接從家裡過來吧？有事找我，在電話裡說就行啦，現在很晚了耶！」

「可是我不確定你什麼時候會來店裡，而且我想當面說。」她從包包裡拿出沈佑嘉上次借她的書，「我照你說的，把你整理給我的內容都讀熟了。」

「很好，那妳考得怎麼樣？有及格吧？」

「我拿了九十五分。」

沈佑嘉瞪圓雙目，「眞的？是全班最高分嗎？」

「對，我是唯一拿到九十分以上的。」

沈佑嘉當場大力鼓掌，引起其他客人注目。

「天啊，妳好厲害，太棒了！」他口氣激動。

沈佑嘉誇張的反應，讓曾杏純尷尬得臉紅，有些失措地道：「我只是把你給我的東西背熟。厲害的應該是你才對。」

「不，妳眞的很厲害。以前我班上的第一名，都沒從苗老師手上拿到這麼高的分數。妳一定不只是照本宣科，還加上了自己的解釋，而且妳寫的能讓苗老師滿意，這是最困難的。所以妳眞的很了不起，我對妳刮目相看！」

曾杏純驚訝，「你果然也被苗老師教過！你借我的這本書是苗老師寫的，我從不知道有這本書，我相信連學長姊都不曉得。」

「因爲這本書在我大一那年就絕版了，即使你們知道它的存在也沒用。那天在講義上看見苗老師的名字，我才知道妳是我學妹。苗老師的教學內容幾乎都在這本書裡，但她課講得非常糟，你們聽不懂很正常。那天，我查過這本書沒有再版，就回老家找。有了這一本，加上我幫妳畫的重點，我保證妳往後四年都不用再爲這一科擔心。」

語落，他繼續給予讚賞，「妳的筆記寫得非常清楚，讓我能事半功倍，在一小時內幫妳整理好重點。只要妳繼續認眞做筆記，並收好苗老師給的講義，我就能在最短的時間內幫妳抓出考試重點。這一本書就送給妳了！」

女孩呆滯不動，愣愣問：「你爲什麼願意這樣幫我？」

「這個嘛……就當作是我錯怪妳的賠罪。那個女生對妳跟妳朋友做的事，讓我很生氣，想給她一個教訓。妳這次拿這麼高的分數，她很震驚吧？」

「對呀，她氣到臉都綠了。成績下來後，有不少同學立刻跑來問我是怎麼準備的，沒再把她的威嚇當一回事，就連她的好朋友也都偷偷來問我。」

見男人一臉得意，她好奇，「這在你的預料之中嗎？」

「是啊，只是妳做的比我想像的更好。既然妳的同學是爲了學分才不敢得罪她，那接下來，他們肯定會巴結妳。只要能成功扭轉妳在班上的處境，我做的這些就值得了。謝謝妳告訴我這件事，我本來因爲工作心情很煩悶，託妳的福，現在我感覺好一點了，心情很暢快，還很有成就感！」

曾杏純在他的燦然笑容中久久不語。

這天，他們交換聯絡方式，又一起去搭捷運。

當捷運駛過沈佑嘉之前下車的站，曾杏純問：「你那天中途下車，就是爲了回家找苗老師的書？」

「嗯，順便回去看家人。這陣子太忙，都沒時間回去。」他打了一個大呵欠。

得知他在百忙之中仍決定要幫忙，曾杏純一陣沉默。

一低頭，她注意到沈佑嘉放在腿上的背包，居然掛著五隻造型可愛的動物吊飾，分別是狗、獅子、無尾熊、海豹和斑馬。

正想問他是不是很喜歡動物，一抬眼就發現對方的頭一晃，早已閉上眼睛沉沉入睡。

幾分鐘後，捷運裡一陣吵鬧，沈佑嘉被身邊的動靜吵醒。

揉了揉模模糊糊的眼，沈佑嘉看見曾杏純跟兩名女孩起口角，嚇了一跳，連忙起身關切，「發生什麼事？」

雙頰漲紅的曾杏純一迎上他的眼睛，雙唇微微張開，卻沒有發出聲音。

「妳快說啊，到底怎麼了？」

彷彿承受不住他的追問，車門一開，曾杏純便跑出車廂，那兩個女孩也悻悻然快步到另一個車廂。

沈佑嘉茫然坐下，這時，旁邊的一對情侶主動跟他說明剛才發生的事。

「那兩個女生一直拿手機對著你拍，跟你同行的女生發現後，要求她們刪除，她們矢口否認偷拍，卻又拒絕交出手機讓她檢查，於是就吵起來了。」女人說。

沈佑嘉訝異，「她們眞的在偷拍我？」

男人點頭，「根本是明目張膽地拍，周遭的人都發現了。我還聽到她們說要把你的影片分享出去，賺點閱率，超級不尊重你。所以我理解那女生的憤怒。」

後來，沈佑嘉傳訊息給曾杏純，然而他到家後才收到對方的回覆。

女孩僅爲突然跑掉的事跟他道歉，隻字不提那起衝突，彷彿無意爲自己澄清。

她這樣，沈佑嘉反而更在意。

隔天早上，沈佑嘉在電梯裡巧遇何詩詩跟關祈灃。他藉此機會約何詩詩一起吃午飯，何詩詩也爽快地答應，而聽到這一切的關祈灃表情當場垮下。

中午，他們到速食店吃午餐，何詩詩笑開懷，「你早上有沒有看到關祈灃的表情？你找藉口邀請我之前，他才剛說要約我吃午餐。感謝你救了我！」

「我很高興能救到妳，不過我沒找藉口，是眞的有事要跟妳商量。」

「洗耳恭聽。」

得知沈佑嘉跟曾杏純重逢，以及兩人昨晚在捷運上發生的事，何詩詩大吃一驚，「眞不可思議耶！你居然眞的再見到那女孩，而且她還是你的大學學妹，又剛好在這附近打工。你們簡直就像是命中注定。」

「我也覺得很神奇。經過昨天的事，我發現她眞的是個好女孩，但……」

見他煩惱且支支吾吾的樣子，何詩詩猜測，「你想不通她爲何不向你澄清？」

「對。初次遇見她時，她也不說對方是如何霸凌她的朋友。明明只要她開口，別人就不至於誤解她，爲何她非要選擇沉默呢？」

用吸管攪拌咖啡杯裡的冰塊，他嘆了一口氣，「她讓我想到，以前紀唯因爲游佳菱被大家誤會的時候，她也是拒絕爲自己澄清，默默呑下委屈。這一點她們還眞相似。」

「既然如此，你何不直接問紀唯？看她那時怎麼想，讓她給你一點建議。」

沈佑嘉覺得有理，下班後就打給紀唯。

他將事情簡單地說明一遍，接著問：「事情就是這樣，就妳看來，她堅持不跟我解釋的原因是什麼？」

「這個嘛……我想，她不是覺得難爲情，就是擔心解釋會換來更多不諒解，所以決定不說。」紀唯推測。

「我怎麼可能那樣？我一點都不覺得她有錯啊！」他傻眼。

「那你就用行動去證明，你是理解她、站在她這一邊的，這比任何口頭上的承諾都有用。我被欺負時，你就是這麼做的，讓我很感動。若那女孩感受到你的心意，我相信她會漸漸對你敞開心房。」

「眞的？妳當時很感動？妳怎麼不告訴我？」他翹起唇角，心中一喜。

「因爲我不想讓你得意忘形啦！你只要一得意就容易闖禍。總之，照你的想法去行動，我相信一定沒問題。加油吧！」

通完電話，沈佑嘉思考良久，決定傳訊息給女孩。

他刻意不提那件事，只提到週六想回大學走走，邀她同行。她也欣然答應了。

週六上午，兩人逛完校園，在附近的餐館吃午飯。

他津津有味地享用著咖哩飯，滿足地說：「以前我念書時，最喜歡吃這一家的豬排咖哩飯了。超懷念的味道！」

看著心情愉悅的他，曾杏純抿抿唇，緩緩開口：「學長，這一餐讓我請吧？」

「爲什麼？」

「你教我準備苗老師的科目，解決我最大的煩惱，我卻不知道怎麼回報你……雖然我能力有限，現階段也只能做這點程度的小事，不過，若有我能幫上忙的地方，儘管告訴我。」

沈佑嘉停止用餐，瞠目結舌，「妳就這麼不想要欠我人情？」

曾杏純尷尬，倉皇澄清，「我只是覺得能回報你的方式太少，心裡過意不去！」

「呵呵，不用啦，妳已經給我回報了！」

「有嗎？」她一頭霧水。

「當然有啊！妳因爲我，在期中考拿到超乎我想像的好成績，還給害我變成壞人的那個女生一個迎頭痛擊。這是近期讓我最開心跟滿足的事。託妳的福，那天我還睡了一個好覺。除此之外，妳教訓在捷運上偷拍我的傢伙，也讓我覺得很痛快。這兩次都是妳幫我出氣，對我來說，這就是最好的回報了。」

曾杏純愣然，「你怎麼知道……」

「妳下車後，有一對情侶跟我解釋當時的情況，所以我知道妳沒錯，還想誇妳罵得好！這是我第一次被女孩保護，感覺很奇妙，心裡也挺感動的。謝謝妳。」

女孩的沉默，讓沈佑嘉有些忐忑，不曉得這樣做是否正確。半晌，他才聽見女孩用幾不可聞的聲音說：「我以為你會怪我。」

「為什麼？」他意外。

「在那兩人交出手機前，我無法證實她們有偷拍你。明明沒拿到證據，我就在捷運上引起這麼大的騷動，你可能不會高興，還會覺得我小題大作，對我生氣、失望。」

沈佑嘉嘴巴微張，沒想到紀唯居然說中了，曾杏純是害怕得到他的負面反應，才不肯為自己澄清。

「妳是認真的？真的有人會這麼想嗎？我從來都沒有這種念頭。」

他難以置信的反應，讓女孩有些尷尬，硬生生地給出解釋，「我不知道，可能是我從小常被這麼說，不自覺就認為別人也會這麼想吧？」

「妳被誰這麼說？家裡的人嗎？」

「嗯，不管我發生了好事還是壞事，只要跟爸媽分享，他們的反應大都是『這有什麼大不了』或『妳會不會太大驚小怪』。如果在捷運上被偷拍的是我爸媽，看見我跟對方吵架，他們也只會責備我，嫌我丟人，不會認爲我在保護他們。」

「那……妳應該很傷心吧？」

「還好，我早就習慣了。反正只要不開口，就不會被潑冷水，所以我不會跟他們說太多事，平時也不常聯絡。」

「妳沒跟父母住？」

「我現在自己一個人住在家裡。我獨居在台南的外婆身體不好，需要有人長期在身邊照顧，所以我爸媽去年就帶著我弟搬過去，至今都沒見面。」

「至今？過年時也沒見嗎？」

「對，過年期間我都在打工，而且我媽說我沒必要專程過去。」

女孩雲淡風輕地回覆，令沈佑嘉啞口無言。他終於明白曾杏純習慣在被誤解時保持沉默，不爲自己發聲的原因，也想通地震發生的那天，她爲何沒有立刻跟家人報平安——她跟家人的關係相當疏離。

「妳跟妳的好朋友認識很久了嗎？」

彷彿沒料到話題會轉到這裡，女孩停頓一秒才點頭，「我們從小學就認識了，她是我最好的朋友。」

「那妳選擇不讓她知道，是妳把她被欺負的事告訴她父母，也是擔心她會反過來怪妳，甚至氣到跟妳絕交嗎？」

她沒有回應，形同默認。

沈佑嘉眉眼彎彎，「我跟妳做過一樣的事喔。」

「什麼？」

「我妹妹也曾被同學欺負，和她同校的我知道了這件事，但她不許我說溜嘴，怕父母會擔心。然而，我太想要幫她，儘管她以『再也不理我』當作威脅，我還是決定說出來，事情也因此有了轉機。最近我跟她聊起這件事，她提到當時她很氣我出賣她，可現在，她認爲我給了她很大的力量。相信妳的朋友也一樣，我甚至覺得，她說不定已經知道眞相。她很清楚妳比誰都爲她著想，不可能眞的怪妳的！」

過了一會兒，曾杏純好奇，「你妹妹也是高中生嗎？」

「呵呵，她小我一歲，高中畢業很久了。我給妳看照片。」

拿起手機，他找出一張最近拍的照片。

照片裡有三名外型姣好的年輕男女，分別是方佑霆、沈佑嘉和任紀唯。短髮的紀唯手裡抱著一個十分可愛的小嬰兒，曾杏純下意識地認爲是她的小孩，沒想到，沈佑嘉的回答推翻了她的想法。

「這個小貝比是我們的弟弟，目前一歲。這男人是我哥，她就是我妹，以後還可能會變成我的大嫂。」

「什麼？」她嚇傻，瞪圓了眼睛。

沈佑嘉噗哧一笑，「她其實是我繼妹，我們沒有血緣關係。雖然她比我小，但她總是嫌我幼稚，覺得我像弟弟。我們家有點複雜，剛認識我們的人常會嚇一跳。」

曾杏純點了點頭，目光回到照片中的四張笑顏上。

這時，隔壁桌的兩個小孩突然衝過他們身邊，撞倒沈佑嘉放置包包的椅子，發出巨大聲響。包包掉到她的腳邊，她連忙彎身撿起。

兩個調皮小孩被父母抓來跟沈佑嘉道歉，沈佑嘉笑著擺了擺手，示意沒關係，平息了這混亂的局面。

曾杏純還回包包，上頭掛的五隻動物吊飾再次吸引了她的注意力。

「怎麼了嗎？」沈佑嘉注意到她的視線。

「沒有，我只是有點好奇，你爲何掛這麼多動物吊飾？」她老實說。

「哦，這些是我家人送的，他們分別挑出最像我的動物，做成吊飾給我當禮物，我就把它們掛在最常使用的背包上。我父親跟繼母選的是海豹跟無尾熊，我哥選狗，我妹選獅子，斑馬則是我弟亂抓選出來的。」

「原來是這樣……感覺你們一家人的感情很好，好羨慕。」

見沈佑嘉的視線停在自己臉上，曾杏純意識到她不小心說了多餘的話，趕緊低下頭，轉移視線，故作鎮定地繼續用餐。

用完餐後，他們離開學校，前往捷運站。

發現附近設有小型市集，沈佑嘉提議逛一下，她點點頭。

逛得差不多，兩人邊聊邊往捷運站走，沈佑嘉問：「妳要回家了嗎？」

「沒有，我等一下要去打工。」

「今天還有打工？會不會太辛苦？」

「還好，我能應付。我爸媽要照顧弟弟，又要負擔外婆的醫藥費，沒什麼多餘的錢，所以我跟他們說，不必給我生活費，我自己賺就好。」

兩人進了車廂，沈佑嘉關心地問：「那個跟蹤狂還有尾隨妳嗎？」

「最近都沒有看見他。而且店裡有新來的女工讀生，我們上下班的時間一致，回程路線又恰巧一樣，所以她都會陪我回去，很安全。」

「那就好。」

捷運即將抵達沈佑嘉要下車的站，他趕緊從外套口袋裡拿出一個巴掌大的小紙袋，「這給妳，打開看看。」

袋裡裝著一個布偶吊飾，是一隻藍色的鯨魚，曾杏純瞬時入定。

「剛才我趁妳去旁邊講電話時買下這個。我發現妳用的筆記本跟書籤夾都有鯨魚圖案，所以我猜妳應該喜歡鯨魚。這是妳犧牲假日時間陪我回母校的謝禮，也是身爲學長的我給的小小獎勵，想鼓勵考試考得好的學妹。下週我會找時間去店裡看妳，好好照顧自己喔！拜拜。」

車門開啟，他親切地對一臉怔忡的女孩揮手，便轉身離開。

沈佑嘉說到做到，週三晚上，他依約在下班後去餐廳用餐，還等曾杏純下班一起走到捷運站。

看到她把鯨魚吊飾掛在背包上，沈佑嘉很高興，「這樣掛著很好看，很適合妳喔！」他大方讚美。

「謝謝。」曾杏純有點不好意思，「學長你喜歡什麼動物？」

「我啊？除了昆蟲類，其他我都喜歡。但我最喜歡的是企鵝，每次去動物園，我都會在企鵝館待很久。」

曾杏純沉醉在那張孩子氣的陽光笑顏中，沉默半晌才接著問：「學長，你是因爲我說羨慕你跟家人感情好，才決定送我這個禮物的嗎？」

在沈佑嘉轉頭看她的那一刻，她就後悔了。

爲什麼要問出這種陰陽怪氣的問題？彷彿在找他的麻煩，一點也不可愛。

然而，沈佑嘉沒有一絲尷尬和不悅，反而十分坦率地承認，「嗯，有一半確實是出自我的私心。妳不僅讓我想起我妹，還讓我想起我哥，下意識就想對妳好。」

感覺到女孩好奇的眼神，沈佑嘉解釋，「我哥曾經與家人失聯，有九年都是一個人生活、一個人過年。雖然跟妳的情況不太相同，但這份孤寂讓我覺得很難過。上週和妳見過面，我就突然想見見我哥，所以我跑去找他了。」

曾杏純的臉頰升溫，後悔的心情更加強烈，「對不起。」

「咦？爲什麼要道歉？」他滿臉疑惑。

「就……覺得對不起。」因爲我令你感到悲傷，所以覺得抱歉。接下來的話，她無法輕易說出口。

沈佑嘉歪頭，認眞回答：「不用對不起，妳又沒做出會讓我怪妳的事。」

這句像是意有所指的話，讓曾杏純漸漸回神，同時，鼻頭有點酸酸的。

捷運車廂裡，沈佑嘉頻頻打呵欠，一副昏昏欲睡的模樣。見狀，她不禁開口：「學長要不要睡一下？我會叫你。」

他轉眸瞧她，冷不防笑了兩聲。

「怎麼了嗎？」

「想到如果我睡著時又被騷擾，妳一定會幫我教訓對方，就感覺很安心。那我睡一下，杏純妳下車前再叫醒我，謝囉！」

沈佑嘉抱著背包開始小睡，兩站過去了，女孩的心情還沒平復下來。

她不確定內心的動搖，是因爲她能讓沈佑嘉感到安心，還是因爲聽他改口直呼她的名字。

不管是那一個，她都有點高興。

爲了從躁動心情中轉移注意力，她拿出手機，一張張美麗的流星照竄入眼簾。

讀了幾篇報導跟貼文，她才知道原來今晚有流星雨，社群上也因此有許多跑去觀星的網友分享照片。

「妳看過流星嗎？」

沈佑嘉突然出聲嚇了她一跳，她結巴地回：「沒、沒看過。你怎麼醒了？」

「捷運忽然晃一下，把我搖醒了。」他揉揉眼睛，再拿出手機，繼續剛才的話題，「我也沒看過流星，但我哥跟我妹會去看，我哥去年還有在山上拍到流星的照片，比這些網友分享的都漂亮，我找給妳。」

沈佑嘉找出更絕美璀璨的流星照，讓曾杏純不由自主地看呆了，盯著照片由衷讚嘆，「你哥哥很會拍，眞的非常美。」

「呵呵，是吧？妳喜歡的話，我可以傳給妳。對著照片許願，說不定會實現喔！」

傳過照片後，沈佑嘉也要下車了，兩人就此道別。

這天晚上，曾杏純將沈佑嘉分享給她的流星照，設成手機桌布。

歷經近一個月沒日沒夜的加班，沈佑嘉的案子終於結束了。

這天，他再次到餐廳光顧。

「恭喜解脫啦！你明天可以休息了吧？」店長拿出一塊起司蛋糕招待他，作為慶祝。

「對，接下來我可以休兩天假，總算可以好好睡一覺了！」沈佑嘉感動不已。

曾杏純下班後，店內不見沈佑嘉人影，問了一下才知道，他打算回老家看弟弟，因此沒等到曾杏純下班，就提前離開。

她只能獨自一人踏上回家的路。

走出捷運站，曾杏純還不想直接回家，便到了附近的夜市走走。

不到十一點，夜市還很熱鬧，她卻情緒低落，內心有股淡淡的空虛。

既然沈佑嘉已經完成了那個讓他不停加班的大案子，就表示今後沒辦法在同樣的時間見到他，也沒機會再跟他一起坐捷運回去了……

經過賣動物吊飾的攤販，她停了下來，在架上的角落處發現企鵝造型的吊飾。

她忍不住拿下來端詳，覺得跟沈佑嘉掛在包包上的吊飾風格很相似。

看著吊飾，曾杏純不禁好奇，如果送給沈佑嘉，他會高興地收下嗎？會把它一起掛在包包上嗎？

她搖了搖頭，立刻將吊飾放回原位，被腦袋裡的念頭嚇了一跳。在想什麼？又不是他的家人，怎麼會有這種荒謬想法？太誇張了！

她在心中吐槽著自己，驚悸地闔眼甩甩頭，強迫自己冷靜。察覺到這份欲望，她就無法眞的送出這份禮物。

後來的一週，她都沒見到沈佑嘉，但對方偶爾會捎來問候的訊息，還會買鯨魚的貼圖送給她。雖然這樣就讓她很高興了，可是，她還是希望能見到他，卻又無法老實地說出口。

搭上週五深夜的捷運，她看見手機桌面上的流星照，目光便停在那顆閃耀璀璨的流星上。

「對著照片許願，說不定會實現喔！」

「我想見到沈佑嘉，想聽聽他的聲音。」

發現自己眞的對著照片許下願望，曾杏純覺得好笑，眼眶卻熱了。

可能是這幾天打工太累，心神俱疲才會那麼脆弱，回去好好睡一覺，隔天應該就會沒事了。她想。

這時，手機響起，看見來電者，她心臟猛地一跳，不敢相信自己的眼睛。

「妳在捷運上？」電話一接通，沈佑嘉劈頭就問。

「呃，對。」由於太突然，她的心跳一時未能平復，連聲音都啞了。

「妳一個人嗎？」

「對，平常跟我一起回去的工讀生今天臨時有事，所以我一個人回去。」她努力穩住聲音，「學長找我有事？」

「明天我想去動物園看企鵝，妳陪我一起去吧！」

她傻掉，吶吶回：「可是我明天有打工……」

「我知道。妳店長跟我說，妳主動幫其他同事代班，連續十天都要上班，明天還要做一整天。他很擔心妳身體吃不消。」

他嘆了口氣，「妳有點太誇張囉！妳才大一，是課業最重的時期，要賺錢也該有個限度，我不是叫妳好好照顧自己嗎？」

她被訓得回不了話，也沒想到沈佑嘉真的在生氣，焦急的語氣彷彿打從心底擔心她。

「我剛才已經幫妳好請假了，妳明天的工資我來補，所以妳一定要跟我去動物園。到家後把住址傳給我，然後好好睡一覺，明天中午前我去載妳。明白了嗎？」

他的口氣不容反抗，曾杏純無法拒絕，只能答應。

通話結束，她呆呆盯著手機桌面的流星，心臟快速跳動，全身起雞皮疙瘩，以爲自己在做夢。

老天讓她的願望實現，是在告訴她，可以不用壓抑自己嗎？

那她可以再貪心一點嗎？

下了捷運，曾杏純奔去夜市，想要尋找上次的那個攤販。

她在心中不斷祈禱著，希望那條企鵝吊飾還沒被買走。

一路上，她想像著對方會有的反應，唇邊漾起喜悅的微笑。

後記

在決定寫這個故事前，我心裡是有一點點猶豫的。

構思完這部作品時，我腦中的第一個想法是：「眞的要這麼寫嗎？」會有這種遲疑，是因爲我想起我的第一部網路小說。

同樣是以「兄妹」爲主軸的愛情故事，同樣都是校園小說，雖然那已是將近十年前的作品，也不曾出版過，對我而言卻具有相當重要的意義。

除了是以「晨羽」這個名字所完成的第一部長篇小說，也是因爲它讓一些讀者注意到我，甚至從那時起就一路陪著我走到今天。到了現在，也還是有新讀者陸續在網路上接觸到那部小說，並且與我分享感想。

因此對於擁有相同題材的這兩個故事，我也知道，這樣的角色設定，一定會讓不少讀者朋友立刻聯想到我的第一部小說。同樣都是男女主角的父母親再婚，讓主角們相遇，進而發展出的一段愛情故事……既然主軸都一樣，那麼這究竟是不是創新？到底要不要「老梗」新用？這些問題，都曾讓我在動筆前稍微躊躇。

不過有趣的是，換一個角度想，就發現這種「老梗」，其實也是一種挑戰。同樣的「兄妹戀」題材，同樣的「校園愛情小說」路線，在題材跟風格幾乎相同的情況下，我忽然好奇，自己是否能再寫出另一種故事？是否能寫出與上一部不一樣的東西？是否能寫出讓讀者看到最後，也不會將它與上一部聯想在一起的劇情？如此一想，我便開始覺得「老梗新用」這挑戰很有意思，也想看看自己能做到怎樣的地步。

最重要的是，我喜歡這個故事，也非常想寫出這個故事，因此很快地就將一開始的那些顧慮全忘得一乾二淨，完全進入《載著流星的人》的世界。

《載著流星的人》是一部關於「家」的故事。

「親情」的故事，一直以來都比「愛情」更能打動我，雖然這是一部愛情小說，但在寫作過程中最讓我欲罷不能、動容不已的，始終都是親情的部分。

當紀唯因為傷了母親的心，最後打手機哭著對母親道歉時，我也會忍不住想哭。

當佑嘉在紀唯遭遇到困境時，不惜挺身而出，一心一意想要幫助這個妹妹時，我會被他感動。

當紀唯爲了佑霆而與沈父發脾氣，或者是三兄妹在除夕夜一塊吃火鍋……這些都是在寫這個故事的時候，最讓我念念不忘的片段。

其中未在內文仔細敘述的，還有佑霆家裡的暖爐桌。

當我想到暖爐桌，我就很自然而然想到卡通櫻桃小丸子全家人坐在暖爐桌前的溫馨畫面，也因此，讓佑霆家裡放著一個暖爐桌，其實也是爲了象徵他內心深處對「家」以及「家人」的渴望。

因爲有家人不變的支持與陪伴，無論在外頭遭受到多大的挫折跟傷害，那些深愛自己的家人，最後都還是會張開雙臂，給予最大的溫暖與包容，不會離棄。

我很開心可以寫這個故事，讓我覺得就像是寫給十七歲時的自己，也寫給當年完成第一部長篇小說的自己。

我想謝謝她，謝謝她堅持了這麼久，沒有放棄寫作一直走到現在。

從那時就陪伴我到現在的小平凡，謝謝你們一直在我身邊。

始終給予我鼓勵的家人們，謝謝你們支持我的夢。

不斷爲作者爲作品辛勞奔波的尤莉及馥蔓，眞的謝謝妳們，辛苦了！（敬禮）

最後，更要謝謝看完這本書，陪紀唯一起追流星的你們。

晨羽

紀念版後記

謝謝你們把全世界的流星都給了我

這是奪走我最多眼淚的故事。

常有小平凡問我，寫小說時會不會哭，對於總是虐待主角的我來說，這個問題就像是「晚餐要吃什麼」一樣稀鬆平常。

儘管本人長得很高冷（根據小平凡的形容），但我其實是哭點很低的人。目前出版的小說，我幾乎都有爲情節掉過眼淚，其中哭得最慘的就是《載著流星的人》，慘到十年後的現在我都記得，並覺得當年的自己實在很可愛。

在舊版的後記中曾提到，「親情」的故事比「愛情」更打動我。至今，這一點還是沒變，因此這次修潤全文，我依然會被這個故事打動，讀到當年榨掉我最多眼淚的地方，還是會忍不住。

過了十年從頭讀這個故事，我想將內容補得更圓滿，所以增寫一篇全新番外，獻給陪伴我十年以上，並且喜歡這個故事的小平凡。

一開始我打算寫五千字，結果不小心爆字數，比預期多了快一萬字，還請編輯讓我延稿。愛爆字的毛病過了十年還是改不了，但只要你們能讀得開心，一切就是值得的。

從前最喜愛的男主角是大哥方佑霆，現在看沈佑嘉，覺得他越看越可愛。而他的故事我認為還有發揮的空間，因此全新番外的主角就決定選他，讓他們的故事得以繼續。寫完後，我也覺得很滿足。

十周年紀念版的意義對我十分重大，除了能感謝支持我十年的小平凡，還有機會讓新讀者們接觸到這部作品。

想到曾經深深感動我的這部溫馨故事，能夠繼續傳遞給更多年輕讀者，我就覺得很幸福。我深知這一切相當不容易，因此對能讓《載著流星的人》十周年紀念版付梓的人，我深深感激。

我在二〇〇九年成為POPO原創會員，在這裡創作出一本又一本的小說，不知不覺，已經走過十幾個年頭，我很慶幸自己在最好的時刻遇見POPO。

十年的光陰，許多事情都會改變，但至今仍然不變的是，小平凡是我走在創作路上的最大動力。能夠用文字走入你們的心，與你們的世界產生連結，是無比美好且可貴的一件事。

我想向流星許願，希望未來的十年，還能用文字繼續陪伴你們。

謝謝所有成就晨羽的人，是你們把全世界的流星，都給了我。

晨羽

國家圖書館出版品預行編目資料

載著流星的人【紀念版】／晨羽著. -- 初版. -- 臺北市：POPO原創出版，城邦原創股份有限公司出版：英屬蓋曼群島商家庭傳媒股份有限公司城邦分公司發行, 2025.02
面；　公分. --
ISBN 978-626-7455-72-2（上冊：平裝）
ISBN 978-626-7455-73-9（下冊：平裝）

863.57　　113020083

載著流星的人【紀念版】（下）

作　　者／晨羽
責任編輯／黃韻璇　行銷業務／林政杰　版　　權／李婷雯

內容運營組長／李曉芳
副總經理／陳靜芬
總 經 理／黃淑貞
發 行 人／何飛鵬
法律顧問／元禾法律事務所　王子文律師
出　　版／POPO原創出版
城邦原創股份有限公司
台北市南港區昆陽街 16 號 4 樓
電話：(02) 2509-5506　傳眞：(02) 2500-1933
email：service@popo.tw
發　　行／英屬蓋曼群島商家庭傳媒股份有限公司城邦分公司
聯絡地址：台北市南港區昆陽街 16 號 8 樓
書虫客服服務專線：(02) 25007718．(02) 25007719
24小時傳眞服務：(02) 25001990．(02) 25001991
服務時間：週一至週五09:30-12:00．13:30-17:00
郵撥帳號：19863813　戶名：書虫股份有限公司
讀者服務信箱 email：service@readingclub.com.tw
城邦讀書花園網址：www.cite.com.tw
香港發行所／城邦（香港）出版集團有限公司
地址：香港九龍土瓜灣土瓜灣道86號順聯工業大廈6樓A室
email：hkcite@biznetvigator.com
電話：(852) 25086231　傳眞：(852) 25789337
馬新發行所／城邦（馬新）出版集團 Cité(M)Sdn. Bhd.
41, Jalan Radin Anum, Bandar Baru Sri Petaling,
57000 Kuala Lumpur, Malaysia.
電話：(603) 90563833　傳眞：(603) 90576622
email：services@cite.my

封面插畫／小河少年Kawa
封面設計／Gincy
電腦排版／游淑萍
印　　刷／漾格科技股份有限公司
經 銷 商／聯合發行股份有限公司
電話：(02)2917-8022　傳眞：(02)2911-0053

■ 2025 年2月初版
Printed in Taiwan

POPO原創出版 www.popo.tw　城邦讀書花園 www.cite.com.tw

定價 / 350元

ISBN　978-626-7455-73-9